KADOKAWA

「海外旅行はよく行くけれど、帰ってくると、〝綺麗だった！　すごかった！〟で話が終わっちゃうんですよね」「観光地を見ている時に、〝ああ〜もう少し勉強してくれれば、もっとワクワクしてガイドの話も聞けたのになぁ〟といつも思うんですがね…」

　これは、私がエジプトでピラミッドをご案内している時に、お客様からよく聞く言葉です。

　1867年にパリ万国博覧会に日本の伝統文化が出展されたことをきっかけにヨーロッパで「ジャポニスム（日本趣味）」が流行しました。東の果ての小さな国の文化に世界の多くの国の人々が興味を持ち始めた時でした。あれから150年ほどが経ち、再び我が国の文化は世界の人々の興味を刺激しています。インバウンド観光促進による観光立国日本の目覚めでしょう。

　ただ、私は心配しています。今まで100か国以上の国を訪れ、世界史講師の目線でたくさんの伝統文化に触れてきました。いずれも素晴らしいものでしたが、そこに住む人々は日本の文化に関する知識が乏しいためか、ガイドをしてもらっても一方的に情報伝達されるのみで、国際的なコミュニケーションをとれた気持ちにはならないことが多いのです。これと同じことが我が国でも起きてしまうだろうという不安が私にはあります。彼らがどんな文化を持ってどんな国から来たのかなどはお構いなしに、**日本の伝統文化を滔々（とうとう）と説明する姿**が目に浮かぶのです。そうではなく、**「あなたの国のあの建物と比べると…」「あなたの国のあれを造った人と同じで…」こんな会話こそが、国際交流であり、本当に相手を喜ばせる「おもてなし」ではないでしょうか。**

海外旅行好きの人は、国際交流がうまくできないもどかしさを感じたことがあると思います。しかし、「歴史を勉強しておけばよかった！」とその時は思っても、歴史の分厚い教科書ではなかなか勉強が進まないかもしれません。そこで、「歴史を知ることで旅を豊かなものにしたい」人のために、この本を書きました。

本書は3部構成になっています。第1部は各国・各地域別に世界史のターニングポイントを観光地とともに紹介しています。第2部は「絶景」と言われる観光スポットの歴史的な背景を紹介しています。第3部は日本人に人気のある観光地のある国・地域の歴史POINTを紹介しています。つまり、**本書は「ただのガイドブック」「ただの世界史の学び直しの本」ではありません**。その絶景や建造物が「どのような背景で生まれ、どんな歴史を見てきたのか？」がわかります。それを知り、実際に見た時、本当の旅の醍醐味を感じることができるでしょう。あなたにとって旅を100倍楽しくするためのパートナーとなるものであると確信しています。

日本のすべての国民が世界からの訪問者と、その国の文化を知ったうえで、コミュニケーションがとれる、そんな時代が来て欲しい。そうなれば、どの国にも負けない「本当の観光立国日本」になることができると信じています。日本の多くの方が**世界に興味を持つ助けとなる書籍**が誕生したのだという自負を持って、私は日々、将来の日本を背負って立つ子どもたちに「世界の歴史」を教え続けています。

佐藤 幸夫

取り上げる国・地域

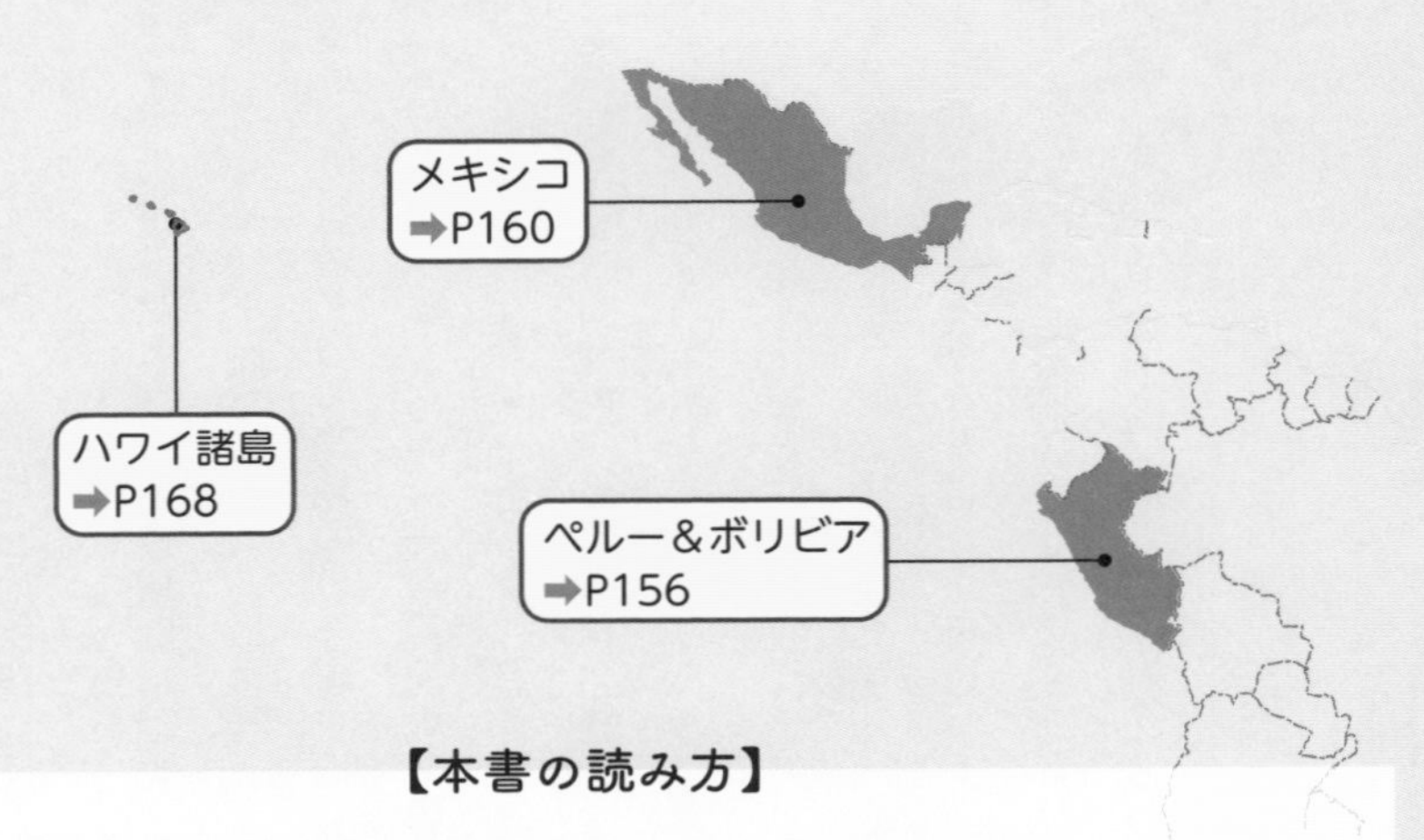

【本書の読み方】

第1部 **国・地域ごとの時代順に世界史のターニングポイントをチェック！**

世界史の目　観光名所を世界史的視点でピックアップ。佐藤幸夫の「世界史の目」で旅する気分を味わいましょう。

第2部 **“絶景”と言われる観光名所の歴史的背景をチェック！**

Theme　絶景が注目されがちな場所やその国の歴史について、押さえておくべきポイントをまとめています。

第3部 **人気の旅行先の歴史的重要ポイントをチェック！**

POINT　見どころを一言でまとめています。

本文中に＊がついている世界史用語は、資料編で解説しています。戦争の経過や条約の内容などの詳しい知識を補いながら読むと、より理解が深まります。

・行ったことのある場所や、気になっている場所から順不同で読むことができます。
・本書は、2022年10月時点の情報に基づいています。

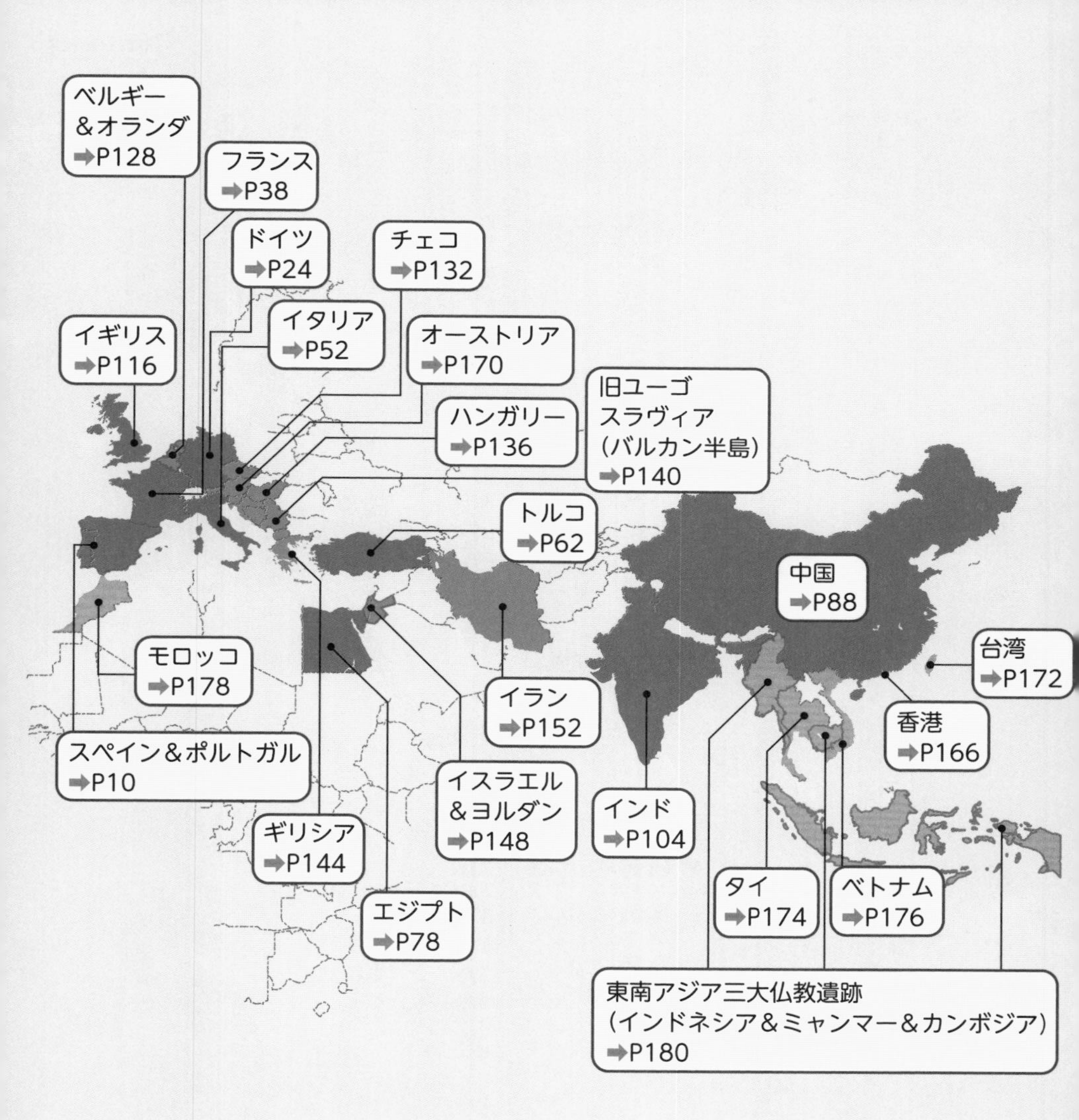
ベルギー
＆オランダ
➡P128
フランス
➡P38
ドイツ
➡P24
チェコ
➡P132
イタリア
➡P52
イギリス
➡P116
オーストリア
➡P170
ハンガリー
➡P136
旧ユーゴ
スラヴィア
（バルカン半島）
➡P140
トルコ
➡P62
中国
➡P88
台湾
➡P172
モロッコ
➡P178
イラン
➡P152
香港
➡P166
スペイン＆ポルトガル
➡P10
イスラエル
＆ヨルダン
➡P148
インド
➡P104
ギリシア
➡P144
タイ
➡P174
ベトナム
➡P176
エジプト
➡P78
東南アジア三大仏教遺跡
（インドネシア＆ミャンマー＆カンボジア）
➡P180

Contents

デザイン　吉村亮　大橋千恵（Yoshi-des.）
イラスト　森千章
写真提供　Adobe Stock、123RF、iStock、PIXTA、フォトライブラリー
図版　ロム・インターナショナル、熊アート
資料・絵画所蔵　アムステルダム美術館（P131「牛乳を注ぐ女」）、メトロポリタン美術館（P147「ドラクロワの肖像写真」）、ウォルターズ美術館（P155「アッパース1世の廷臣」）

第2部 絶景からダイナミックな歴史を感じる旅

第3部 知的好奇心をくすぐるワンランク上の旅

第1部

世界史のターニングポイントをめぐる旅

Spain & Portugal
スペイン&ポルトガル

Germany
ドイツ

France
フランス

Italy
イタリア

Turkey
トルコ

Egypt
エジプト

China
中国

India
インド

The United Kingdom
イギリス

スペイン＆ポルトガルの歴史

パズルのピースがうまくはまらない〝ラテンの情熱の地〟

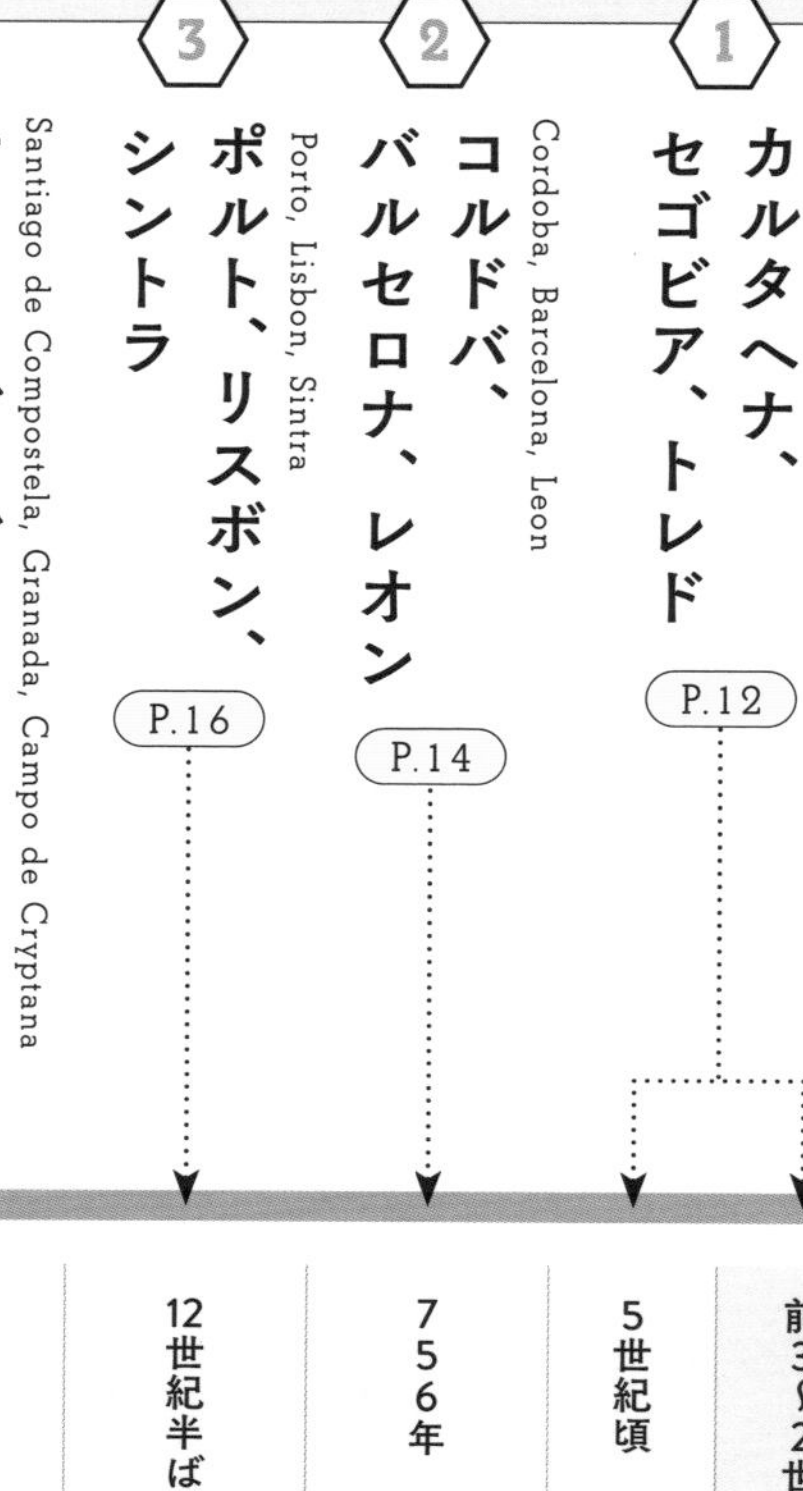

1. カルタヘナ、セゴビア、トレド
Cartegena, Segovia, Toledo
P.12

2. コルドバ、バルセロナ、レオン
Cordoba, Barcelona, Leon
P.14

3. ポルト、リスボン、シントラ
Porto, Lisbon, Sintra
P.16

4. サンチャゴ＝デ＝コンポステーラ、グラナダ、カンポ＝デ＝クリプターナ
Santiago de Compostela, Granada, Campo de Cryptana
P.18

前3～2世紀	●ポエニ戦争により半島大半がローマ領になる
5世紀頃	●ゲルマン民族が侵入し、西ゴート王国を建国
756年	●イベリア半島に侵入したイスラーム勢力が後ウマイヤ朝を建国
12世紀半ば	●ポルトガル王国がカスティーリャ王国より自立
1492年	●スペイン王国によりグラナダ陥落 ……レコンキスタ完了

5 プラド美術館、ジブラルタル、セビーリャ大聖堂

Prado Museum, Gibraltar, Seville Cathedral

P.20

6 バスク地方

Basque

P.22

1516年	スペイン＝ハプスブルク家の始まり（カルロス1世の即位）
1556年	フェリペ2世がスペイン国王に即位する
1700年	スペイン＝ブルボン家の始まり（フェリペ5世の即位）
1808年	スペイン反乱（半島戦争）⚔ ナポレオンの兄ジョセフの支配 ……プラド美術館
1931年	スペイン革命 ……王政から共和政へ
1936年	スペイン内乱 ……人民戦線内閣（じんみんせんせんないかく）⚔軍人フランコ
1975年	ブルボン朝の復活

Spain & Portugal

1

カルタヘナ、セゴビア、トレド

Cartegena, Segovia, Toledo

POINT

イベリア半島の歴史は先史時代のクロマニヨン人から始まる。彼らは半島北部のアルタミラ付近に洞穴絵画を残した。半島の歴史の転換となる、ポエニ戦争をひもとき、ローマからゲルマン支配へ——

● イベリア半島に成立したスペイン王国

古代文明が発生した前3000年頃から、北アフリカに起源を持つとされるイベリア人と、東方から移住してきたケルト人の混血であるケルト＝イベリア人という先住民が住むようになったとされています。前1200年頃から植民活動を開始した**フェニキア人***が現在のチュニジアに建設した**カルタゴ***を拠点とし、イベリア半島東岸から南岸にかけて支配領域を拡大させていきました。**イタリア半島を統一したローマ人（ラテン人）が前3世紀から前2世紀にかけてカルタゴとの戦争（ポエニ戦争*）を展開し、最終的にイベリア半島を含む西地中海はローマの属州***（プロビンキア）となったのです。

ローマ帝国末期にはゲルマン民族がライン川・ドナウ川を越えて、ローマ領（西ヨーロッパ）内に侵入。その影響もあり、**395年にはローマ帝国が東西に分裂してしまいます。**「ヒスパニア」（ローマ時代のイベリア半島の呼称）には**西ゴート人が侵入し、トレドに都をおいて西ゴート王国*を建国しました。**ちなみに、西ローマ帝国は100年ももたず、476年に滅亡してしまいました。西ゴート王国はのちにローマ＝カトリック（三位一体説を唱える**アタナシウス派***）を国教としたことで、ローマ文化とゲルマン文化とキリスト教文化の3つを融合させ、のちのスペイン王国の宗教的基盤を作ったと考えられています。

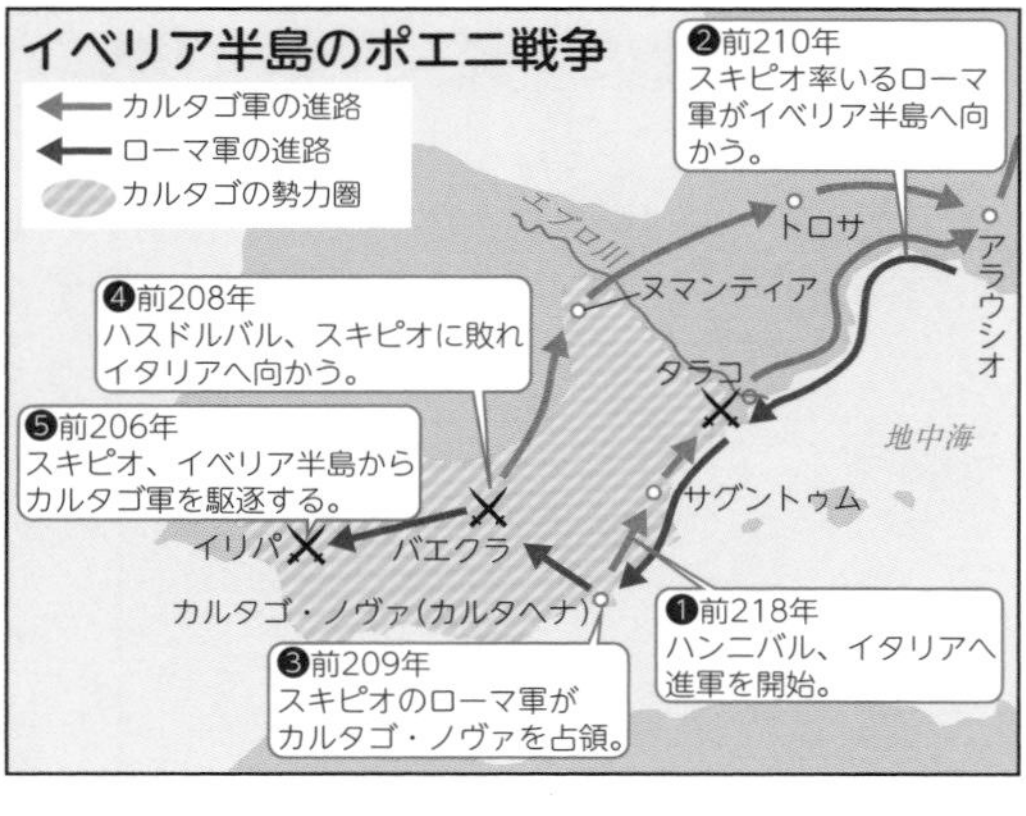

イベリア半島のポエニ戦争

世界史の目

カルタヘナ ローマ劇場

ポエニ戦争でローマ軍を苦しめたカルタゴの将軍ハンニバルが、イタリア半島遠征の拠点・出発地とした街。当時の名前が「カルタゴ＝ノヴァ（新カルタゴ）」。カルタゴを滅ぼしたローマはここをローマ風の都市に変えた。現在、前１世紀に造られたとされるローマ劇場が残されている。

世界史の目

セゴビア アルカサル

首都マドリードから日帰りで行ける。高さ30ｍもある古代ローマの水道橋、中世末期に建築された大聖堂、もとケルト＝イベリア人の要塞だったものをカスティーリャ王国時代に改築したアルカサル（城）が有名。特に、古城とされるアルカサルはディズニー映画の名作「白雪姫」の城のモデルになったとされる。

世界史の目

トレド 街並み

テージョ（タホ）川によってつくられた渓谷に囲まれた街。16〜17世紀にスペインで活躍したギリシア人画家エル・グレコはこの絶景に惚れこんで定住し、この街で亡くなった。イスラーム教・ユダヤ教・キリスト教の歴史的建造物があり、宗教共存の代表的都市と言ってよい。

2

コルドバ、バルセロナ、レオン

Cordoba, Barcelona, Leon

POINT

シリアのウマイヤ朝がアッバース朝に滅ぼされ、逃れたイベリア半島で建国された後ウマイヤ朝。「花の都」として知られ、イスラーム文化が色濃く残るコルドバが繁栄した軌跡をたどる――

●イスラーム勢力とキリスト教勢力の攻防

7世紀前半に成立したイスラーム教の勢力が北アフリカからジブラルタル海峡を越えてイベリア半島に侵入してきたのは8世紀初めでした。イスラーム勢力は**西ゴート王国**を滅ぼすと、その勢いで、ピレネー山脈を越えて、**フランク王国***（現在のフランス）領に侵入しましたが、732年の**トゥール＝ポワティエ間の戦い**でフランク王国に敗れ、撃退されました。その後、このイスラーム勢力の子孫が756年に都をコルドバにおいて、**後ウマイヤ朝***を建国します。

フランク王国はこれを攻めますが勝利することはできず、防波堤として、スペイン辺境伯（へんきょうはく）（現在のカタルーニャ地方）を創設しました。

ウマイヤ朝（イスラーム勢力）に滅ぼされた西ゴート王国の残党（キリスト教徒）は半島の北部に逃げ、そこにアストゥリアス王国を建国、のちに半島西北部に成立したレオン王国と合同し、**イスラーム勢力に奪われた領土を奪回する国土回復運動***（再征服＝reconquest）＝ラテン語で「**レコンキスタ**」を開始しました。10世紀にはレオン王国から自立した**カスティーリャ王国***、11世紀に半島東北部に独立してシチリア島にいたる西地中海を支配した**アラゴン王国***、12世紀にカスティーリャ王国から大西洋岸に独立した**ポルトガル王国***が、レコンキスタを主導し、キリスト教勢力の巻き返しのための戦争が約700年弱続くことになりました。

レコンキスタの推移

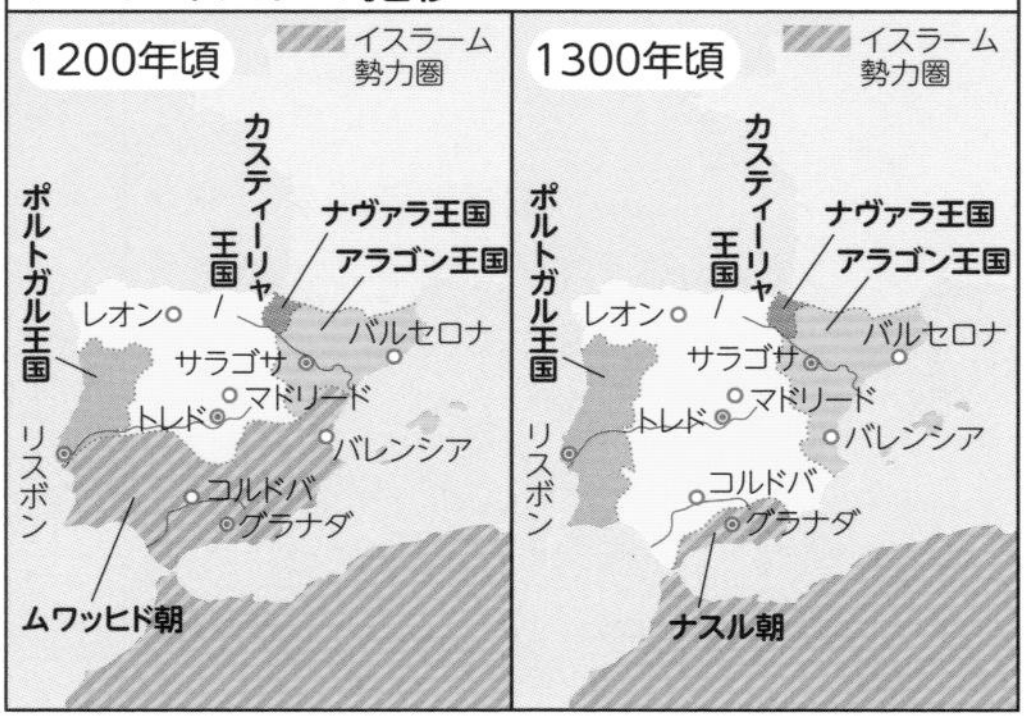

世界史の目

コルドバ 📷メスキータ

南部アンダルシア地方の都市。８世紀後半に大モスク（スペイン語でメスキータ）が建立された。礼拝堂は紅白に彩られた華麗なアーチと円柱が特徴。キリスト教勢力に占領された際、その美しさを残すため、中央部のみキリスト教の祭壇に改築した。また、近くには植木鉢の花で彩られた「花の小径」とその奥にユダヤ人街がある。

世界史の目

バルセロナ 📷グエル公園

フランク王国から自立したカタルーニャ地方のバルセロナ伯が始まり。バルセロナを「スペインのパリ」と呼ぶのは、フランク王国との関係によるもので、今でも分離独立をうたっている。19～20世紀に活躍した建築家アントニオ・ガウディの作品（サグラダ・ファミリア、カサ・ミラ、グエル公園など）がたくさん残されていることで有名。

世界史の目

レオン 📷レオン大聖堂

ローマ時代に山岳民族の侵入を防ぐために造営した要塞をそのままイスラーム教勢力との抗争に使用した街レオンを王国が首都にしたのは10世紀。見事なステンドグラスを持つレオン大聖堂、サン・マルコス修道院（今はホテル）、ガウディの作品カサ・デ・ボティーネスは有名。サンチャゴ＝デ＝コンポステーラへの巡礼路の中継地でもある。

3

ポルト、リスボン、シントラ

Porto, Lisbon, Sintra

POINT

12世紀半ばにカスティーリャ王国から自立、のちに大航海時代を先導したポルトガル王国。ワインの生産で有名なポルトなどの海岸都市も発達し、交易の中心地として栄えた地に思いを馳せる――

● スペインと世界を二分した大航海時代

15世紀後半、バルトロメウ＝ディアスが*喜望峰（きぼうほう）到達、その後、1498年にヴァスコ＝ダ＝ガマがインド西岸のカリカットに到達し、インド航路開拓に成功します。こうして、**ポルトガルはアジア貿易の覇権を握り、「海上交易帝国」と呼ばれるように**なりました。首都リスボンは香辛料取引で繁栄し、世界商業の中心地となります。また、ベルベル人が建設した城跡が残る街シントラには国王の離宮が置かれました。

大航海時代にはスペインと世界を二分したものの、1580年に王家が断絶し、時のスペイン国王*フェリペ2世がポルトガル国王も兼任、さらにスペインから独立したオランダがアジア交易に参入したことで衰退し始めます。1640年にスペインから分離したものの、1755年に起きたリスボン大地震・大津波で街は完全に崩壊してしまいました。その後、王位継承などの内戦が続き、結局**1910年の共和政革命により王国は消滅**します。

ポルトガル共和国は第一次世界大戦で戦勝国になりましたが、政治不安は続きます。その後、財務相として世界恐慌を乗り切ったサラザールが1932年から独裁を開始し、第二次世界大戦は中立の立場をとり、戦後は反共政策からアメリカに接近しました。しかし、**1974年の*カーネーション革命（リスボンの春）により、民主化が実現、多くの植民地が独立する**こととなりました。

ポルトガルの大航海時代

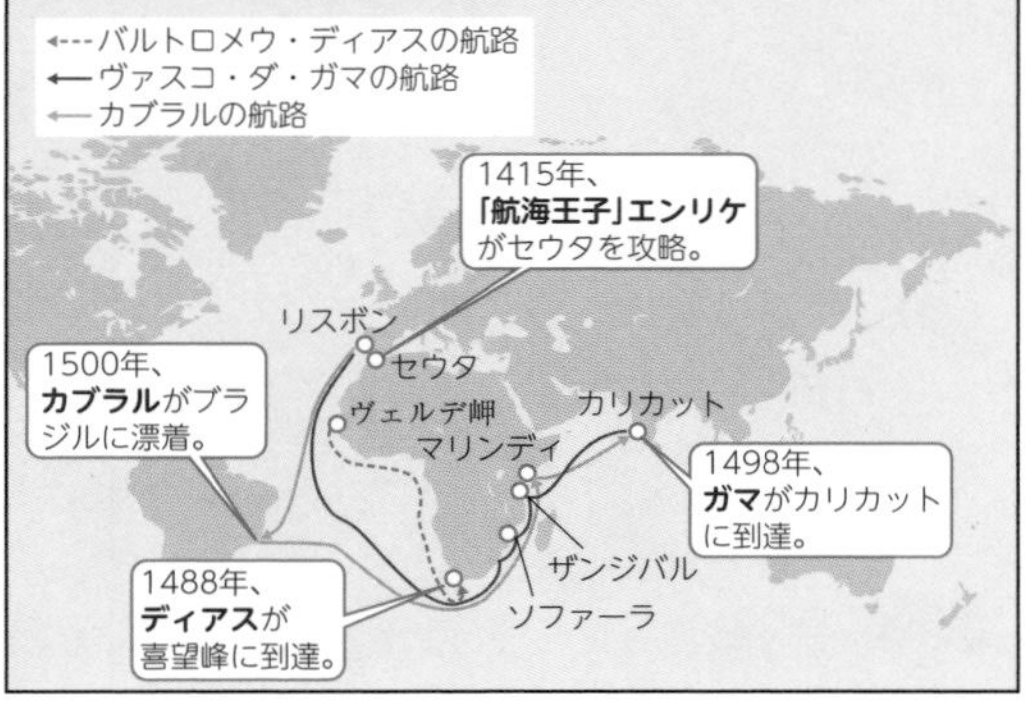

←---バルトロメウ・ディアスの航路
←ヴァスコ・ダ・ガマの航路
←カブラルの航路

1415年、**「航海王子」エンリケ**がセウタを攻略。
リスボン
セウタ
ヴェルデ岬
カリカット
マリンディ
1500年、**カブラル**がブラジルに漂着。
1498年、**ガマ**がカリカットに到達。
ザンジバル
1488年、**ディアス**が喜望峰に到達。
ソファーラ

世界史の目

ポルト 街並み

ポルトガル西北部にある海岸都市。リベイラ地区は中世の歴史地区とされ、細い路地や可愛いカフェなどが有名。「ポルトガル」の名前の由来にもなる。14世紀にここでポルトガルの王とイギリスの王女の結婚式が行われ、ポルトガル・イギリスの長き同盟関係が始まった。18〜19世紀にここのワインがイギリスに輸出され、「ポートワイン」と呼ばれるようになった。

世界史の目

リスボン 発見のモニュメント

ローマ風都市ではヨーロッパ最古の都市とされている。ゲルマン人・ムーア人に攻略されるが、ポルトガル王国建国者アルフォンソ1世によって奪回され、首都となった。ベレン地区にあるジェロニモス修道院にはヴァスコ＝ダ＝ガマが葬られている。近くには「航海王子」エンリケが先頭にいる「発見のモニュメント」や「ベレンの塔」がある。

世界史の目

シントラ ペーナ宮殿

イギリスの詩人バイロンが「エデンの園」と称賛したほどのインスタ映えする街。ポルトガル国王の離宮であるシントラ宮殿は質素だが、12世紀に建設された王族の別荘だったレガレイア宮殿や19世紀に建造されたペーナ宮殿は色彩鮮やかで、おもちゃの宮殿のようである。また、ユーラシア大陸最西端であるロカ岬への観光拠点にもなっている。

Spain & Portugal

4

サンチャゴ＝デ＝コンポステーラ、グラナダ、カンポ＝デ＝クリプターナ

Santiago de Compostela, Granada, Campo de Cryptana

POINT

11世紀から北アフリカのベルベル人のイスラーム王朝がイベリア半島を支配するも、南進するキリスト教国に敗れて撤退。その後、最後のイスラーム教国・ナスル朝の建国と滅亡の中に生まれたスペイン王国を知る――

●ハプスブルク家の発展へ

ナスル朝[*]（首都グラナダ）が建国された頃、キリスト教徒による巡礼が流行していて、その巡礼地として北西部のサンチャゴ＝デ＝コンポステーラが人気になりました。一方、**アラゴン王国**は西地中海への進出、**カスティーリャ王国**はベルベル人が持ち込んだ牧羊業で経済発展をしていましたが、ポルトガルの海外進出に危機感を持った両国は15世紀後半に急接近を図ります。**時のアラゴン王子フェルナンドとカスティーリャ王女イサベルが結婚し、スペイン王国が成立**しました。そして、**1492年にグラナダを陥落させ、レコンキスタを完成**させます。さらに同年にはコロンブスの新大陸発見を支援することとなりました。

16世紀前半、スペイン王女とオーストリア＝ハプスブルク家王子の子として生まれたカルロス1世は、スペイン国王でありながらオーストリア＝ハプスブルク家も受け継ぎ、神聖（しんせい）ローマ皇帝にも選出されました（カール5世）。こうして、**ハプスブルク家はスペインとオーストリアの両方を支配する王家**になり、カルロス1世の死後は、スペインは息子フェリペ2世が、オーストリアは弟フェルディナント1世が後を継ぎました。スペインはここで**絶対王政**（ぜったいおうせい）の全盛期を迎えました。

しかし、フェリペ3世・4世時代には「黄金の世紀」は終わりを告げます。一方、文化全盛期となり、バロック画家で有名なベラスケスが活躍しました。

サンチャゴ＝デ＝コンポステーラの巡礼路

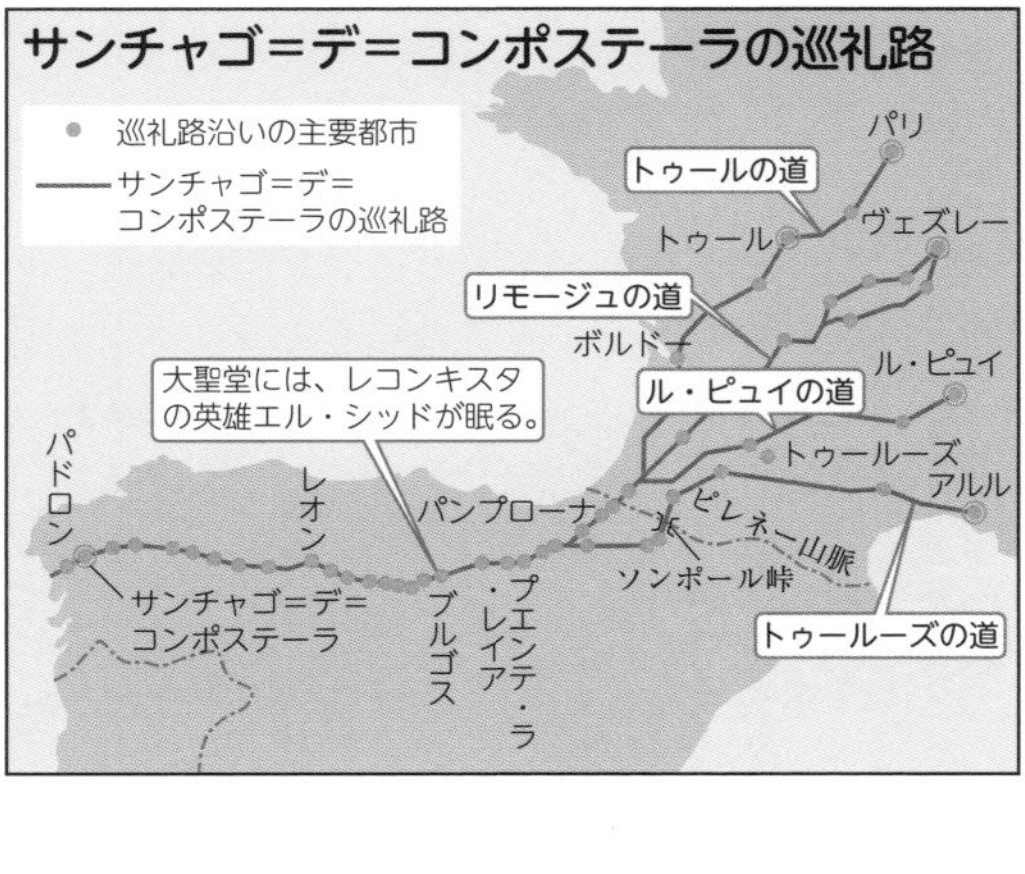

世界史の目

サンチャゴ＝デ＝コンポステーラ 巡礼の標識

ガリシア州の中心都市。ローマ時代の街道が交差する要衝で、9世紀に聖ヤコブの遺体が流れ着いたところに教会が造られた。「ヤコブ＝サンチャゴ」が街の名の由来。イェルサレムはイスラームの支配下、バチカン（ローマ）が戦乱下にあったことから、この地が巡礼地となり、サンチャゴ巡礼路が整備された。

世界史の目

グラナダ アルハンブラ宮殿

ムデハル様式によって造営されたアルハンブラ宮殿がある。小高い丘の上に建設され、カルロス1世（カール5世）の時に完成している。「ライオンの中庭」「アラヤネスの中庭」は特に有名。反対側の丘（アルバイシン地区）からのライトアップの夜景は絶景である。また、グラナダ大聖堂にはイサベル・フェルナンド両王の棺が置かれている。

世界史の目

カンポ＝デ＝クリプターナ 風車群

コンスエグラとともに『ドン＝キホーテ』に登場する風車群のモデルの街。常に風が強く、撮った写真は大概髪が乱れている 。実際のモデルはカンポ＝デ=クリプターナの方だとされ、入口にセルバンテス像もあるが、観光客はトレド→コルドバの途中にあるコンスエグラの方が行きやすい。

Spain & Portugal

5

プラド美術館、ジブラルタル、セビーリャ大聖堂

Prado Museum, Gibraltar, Seville

POINT

病弱なカルロス2世（フェリペ4世の子）は跡継ぎを残せず、スペイン＝ハプスブルク家は断絶。そこで後継者として選ばれたのが時のフランス国王の孫フィリップ（のちのフェリペ5世）だった。スペイン＝ブルボン朝の起こりを覗き見る――

●動乱の18世紀・スペイン

スペイン＝ブルボン王朝*は、途中、2回の共和政と30年以上にわたる独裁を経て、現在まで続いています。この即位に反対したオーストリア＝ハプスブルク家とのスペイン継承戦争*は10年以上続き、ルイ14世時代はイギリスに多くの領土を奪われましたが、スペイン＝ブルボン家は正式に認められることとなりました。ちなみに、この戦争の講和条約で、スペインからジブラルタルがイギリスに割譲され、現在でも返還されず英領のままです。

18世紀末にフランス革命*が起こり、その波及でスペインでも王政に不満な民衆の暴動が起こります。しかし、ナポレオンが新王を退位させ、スペイン王に兄ジョセフ（ホセ1世）を即位させると、民衆の組織したゲリラがフランス軍と7年近い戦争を繰り広げました。スペインの画家ゴヤの作品『1808年』の2枚の絵画が有名です。ナポレオンの敗北・失脚後、ウィーン会議*においてスペインにはブルボン朝*が復活することとなり、ナポレオンに追放されたフェルナンド7世が即位しました。しかし、その後は立憲革命の頓挫、自由主義者と封建的な社会体制を望む保守派との対立などが続く中、19世紀後半には2年間のみ共和政となった時がありました。

19世紀末にアメリカとの戦争に敗れ、多くの植民地を失います。第一次世界大戦では中立を保ちますが、伝統的な王政も世界恐慌の波に飲まれることになりました。

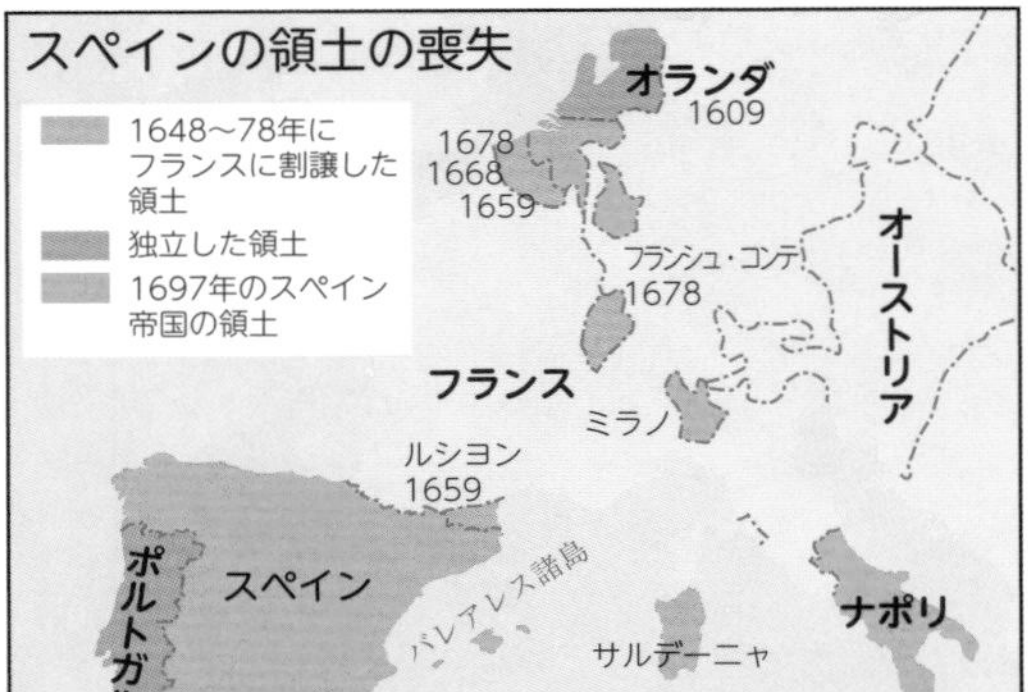

スペインの領土の喪失

1648〜78年にフランスに割譲した領土
独立した領土
1697年のスペイン帝国の領土

オランダ 1609
1678
1668
1659
フランシュ・コンテ 1678
オーストリア
フランス
ミラノ
ルシヨン 1659
ポルトガル 1640
スペイン
バレアレス諸島
サルデーニャ
ナポリ
シチリア

世界史の目

プラド美術館

マドリードにある世界有数の美術館。個人的にはルーヴル美術館よりもワクワクする。エル・グレコ『受胎告知』、ベラスケス『ラス・メニーナス』、ゴヤ『1808年５月３日』など、世界史資料集でよく見かける作品が多い。ルーヴル美術館ほど広くないのでまわりやすい点もいい。お土産屋の充実度も高い。

世界史の目

ジブラルタル

イベリア半島とモロッコに挟まれたジブラルタル海峡の北岸の要衝。426mの岩山はギリシア時代から「ヘラクレスの柱」の１つとして知られた。1713年以降、300年以上イギリスの海外領土であり、マンションのバルコニーにユニオンジャック（英国旗）が布団のようにたくさん干される面白い光景が見られる。

世界史の目

セビーリャ大聖堂

イスラーム様式（ヒラルダの塔）とゴシック建築の融合であるセビーリャ大聖堂にはコロンブスの棺がある。ユダヤ人の迫害、19世紀の立憲革命の拠点、フラメンコの発祥の地でもありオペラ『カルメン』の舞台にもなった。世界史要素満載の街だが、街中に杉が多く、花粉症の人は辛いかもしれない…。

Spain & Portugal

6

バスク地方

Basque

POINT

第一世界大戦後の不況、世界恐慌の中で行われた1931年の選挙。共和派・社会主義派の勝利に対して国王が亡命、2度目の共和政が成立する（スペイン革命）。その後、内戦へと向かう時代の空気を感じる――

●スペイン革命から近代化まで

スペイン革命で共和政が成立しますが、ソ連の指示を受けた**人民戦線内閣**（じんみんせんせんないかく）（社会主義的な政府）に対し、教会・地主ら保守派の支持を得た軍人フランコが蜂起し、さらに**ムッソリーニのイタリア、ヒトラーのナチス＝ドイツが公然とフランコを支持し、スペイン内戦（1936〜1939）はエスカレートしました。**

米英仏が社会主義の拡大を恐れて不干渉政策をとったことにより、人道的な立場から多くの国際義勇兵（作家のヘミングウェー、オーウェル、マルローなど）が政府側を支援しました。こうした中、**ナチス＝ドイツ**による「**ゲルニカ空爆**」（無差別爆撃）が行われます。この理不尽な空爆に怒りを感じたピカソがこの地を訪れてデッサンを残し、大きな絵画（＝「ゲルニカ」）にしました。現在は、マドリードの「ソフィア王妃（レイナ・ソフィア）芸術センター」に展示されています。街自体も現在は整然としていて、空爆の記念碑（壁）が残されているのみです。

結局、フランコが勝利し、軍事独裁政権が始まりました。日独伊防共協定に参加したものの、第二次

現代スペインが抱える民族問題

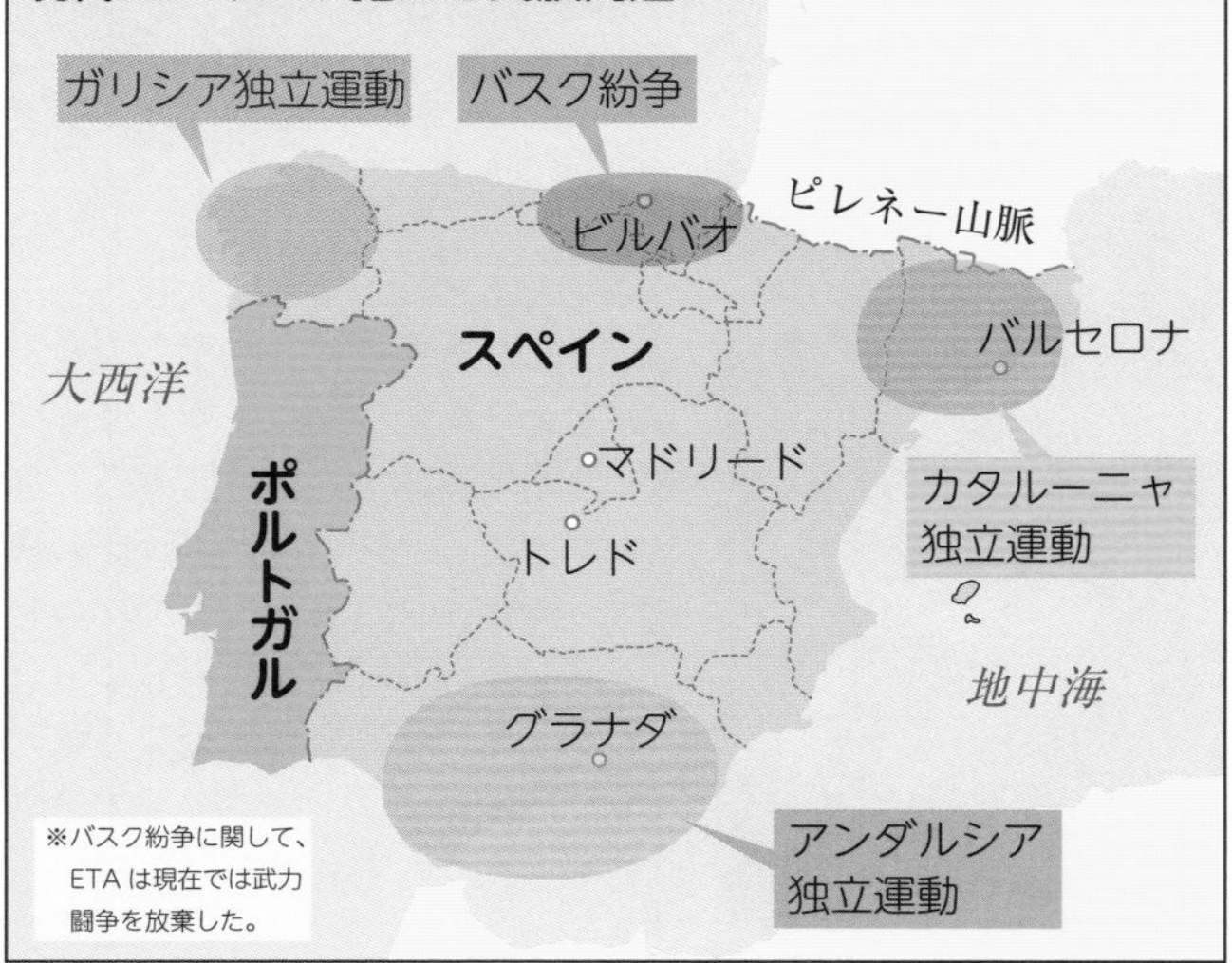

ガリシア独立運動
バスク紛争
ビルバオ
ピレネー山脈
スペイン
バルセロナ
大西洋
ポルトガル
マドリード
カタルーニャ独立運動
トレド
地中海
グラナダ
アンダルシア独立運動
※バスク紛争に関して、ETAは現在では武力闘争を放棄した。

世界大戦でも中立を保ち、戦後はアメリカとの関係を改善し、国際連合への加盟を果たしました。国内では、バスク・カタルーニャ地方での分離独立運動は徹底的に弾圧する一方、大国からの経済支援を受けて近代化に成功していきます。

1975年にフランコがなくなると、彼の遺言に従って、ブルボン朝が復活することになり、フアン＝カルロス1世が即位し、立憲君主制のもと民主化が進められました。NATO*・EC*への加盟により国際社会への復帰を果たしましたが、依然として経済的な問題は残されています。

世界史の目

バスク地方 ピンチョス

ETA（バスク祖国と自由）というテロ組織が完全武装解除を行ったことで、治安が回復した。この地方の中心都市サン・セバスティアンはバスク料理と美食の街として有名。旧市街のバルでは、ピンチョス（タパスのこと）が有名で、多くの観光客でにぎわっている。

世界史の目

アルヘシラス 港

1905年にドイツとフランスが一触即発となった第一次モロッコ（タンジール）事件の講和会議が開かれた港町。ここからジブラルタル海峡を渡り、モロッコのタンジェに行くフェリーがある。船の中で出入国審査が行われ、パスポートにモロッコのスタンプが押される。なかなか面白い国境越えだ。

ドイツの歴史

民族統一の悲願を成し遂げた末に悲劇を経験した大国

1

アーヘン Aachen P.26

3世紀頃

●ライン川とドナウ川がローマ帝国とゲルマン諸部族の境となる

マクデブルク Magdeburg P.26

962年

●神聖ローマ帝国の成立
……オットー戴冠

中世都市 medieval city P.26

1256年

●大空位時代（〜1273年）
……シュタウフェン朝の断絶

2

ヴィッテンベルク Wittenberg P.28

1494年

●イタリア戦争（〜1559年：カトー＝カンブレジ条約）
……近世ドイツの宗教改革と宗教戦争

アイスレーベン Eisleben P.28

1517年

●ルターによる宗教改革が始まる

ミュンスター Münster P.28

1618年

●ドイツ三十年戦争（〜1648年：ウェストファリア条約）

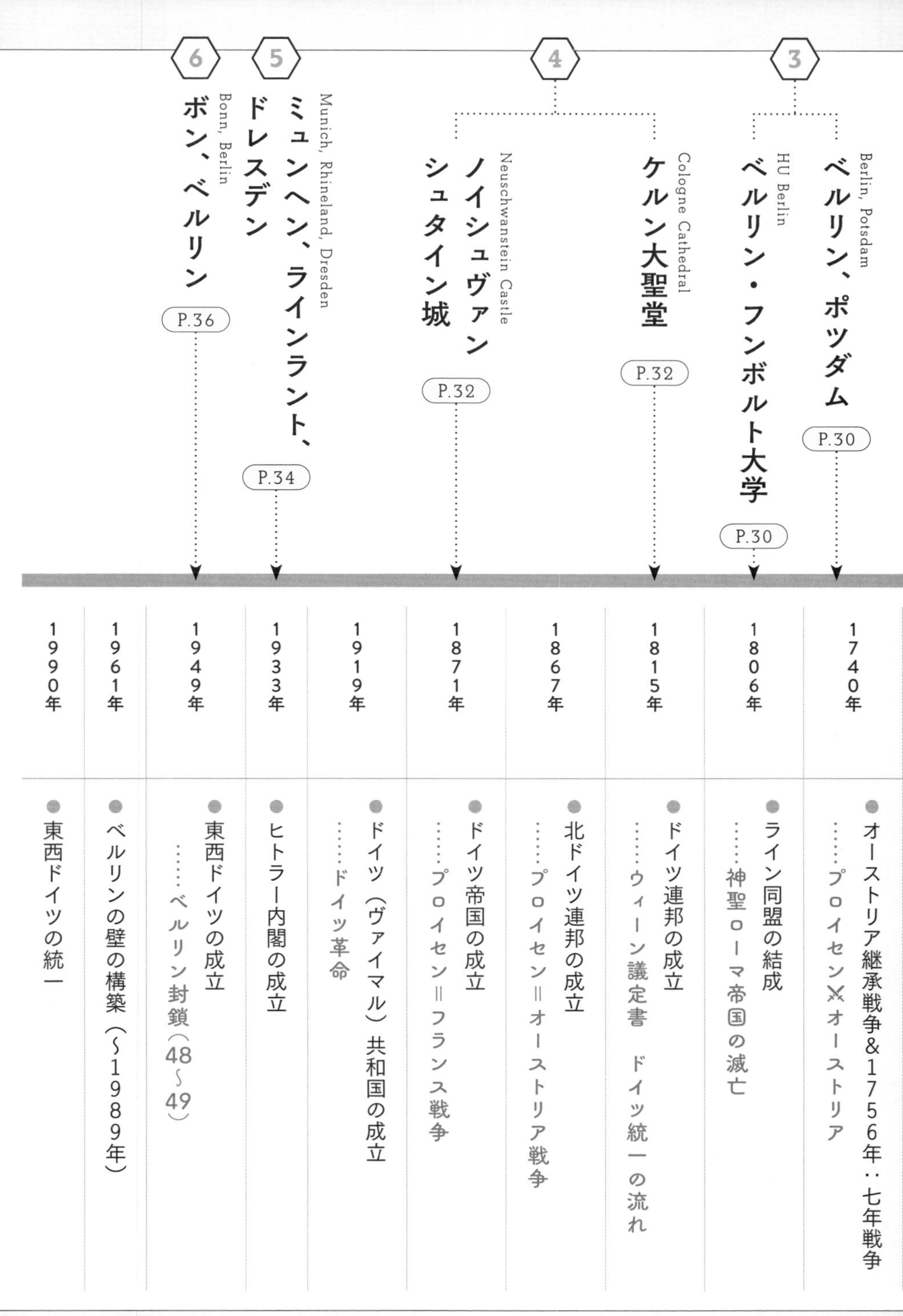
3
ベルリン、ポツダム
Berlin, Potsdam
P.30
ベルリン・フンボルト大学
HU Berlin
P.30
4
ケルン大聖堂
Cologne Cathedral
P.32
ノイシュヴァンシュタイン城
Neuschwanstein Castle
P.32
5
ミュンヘン、ラインラント、ドレスデン
Munich, Rhineland, Dresden
P.34
6
ボン、ベルリン
Bonn, Berlin
P.36
1740年
オーストリア継承戦争&1756年：七年戦争
……プロイセン×オーストリア
1806年
ライン同盟の結成
……神聖ローマ帝国の滅亡
1815年
ドイツ連邦の成立
……ウィーン議定書　ドイツ統一の流れ
1867年
北ドイツ連邦の成立
……プロイセン＝オーストリア戦争
1871年
ドイツ帝国の成立
……プロイセン＝フランス戦争
1919年
ドイツ（ヴァイマル）共和国の成立
……ドイツ革命
1933年
ヒトラー内閣の成立
1949年
東西ドイツの成立
……ベルリン封鎖（48〜49）
1961年
ベルリンの壁の構築（〜1989年）
1990年
東西ドイツの統一

Germany

1

アーヘン、マクデブルク、中世都市

Aachen, Magdeburg, medieval city

POINT

バルト海沿岸に住むゲルマン諸部族が、ドナウ川を渡りローマ帝国との国境を越えてなだれ込んできたのは375年。現在のフランス～ドイツ西半分に彼らが建国したフランク王国からドイツの歴史をひもとく――

● 神聖ローマ帝国の成立

西ローマ帝国*が早く滅亡したため政治的に孤立していたローマ教会とフランク王国が提携し、**西ローマ帝国を継承したのがカール戴冠*（800年）**でした。その後、**フランク王国が3つに分裂すると、ドイツ人居住地は東フランク王国*として統合されます。**東フランク王国のザクセン朝第2代国王オットー1世がマジャール人の侵入やスラヴ人の南下を退け、キリスト教世界を守ったことから、ローマ教皇は再び彼に帝冠を授けました。これにより、**東フランク王国は「神聖ローマ帝国*」と呼ばれるようになった**のです。

当初は強大な皇帝権を有しましたが、次第に弱体化します。そんな時、シュタウフェン朝*が断絶して皇帝不在の「大空位時代（1256～1273）」を迎え、その結果、選帝侯*（せんていこう）による皇帝選挙制が確立しました。こうした背景の中、**地方主権を持つ諸侯（しょこう）や自治権を持つ自由都市が生まれ、特に都市同盟のハンザ同盟*は経済的軍事的な側面で影響力を拡大**しました。そして、15世紀前半からハプスブルク家*が皇帝権を事実上世襲するようになっていったのです。

フランク王国の版図とヴェルダン・メルセン両条約での分割範囲

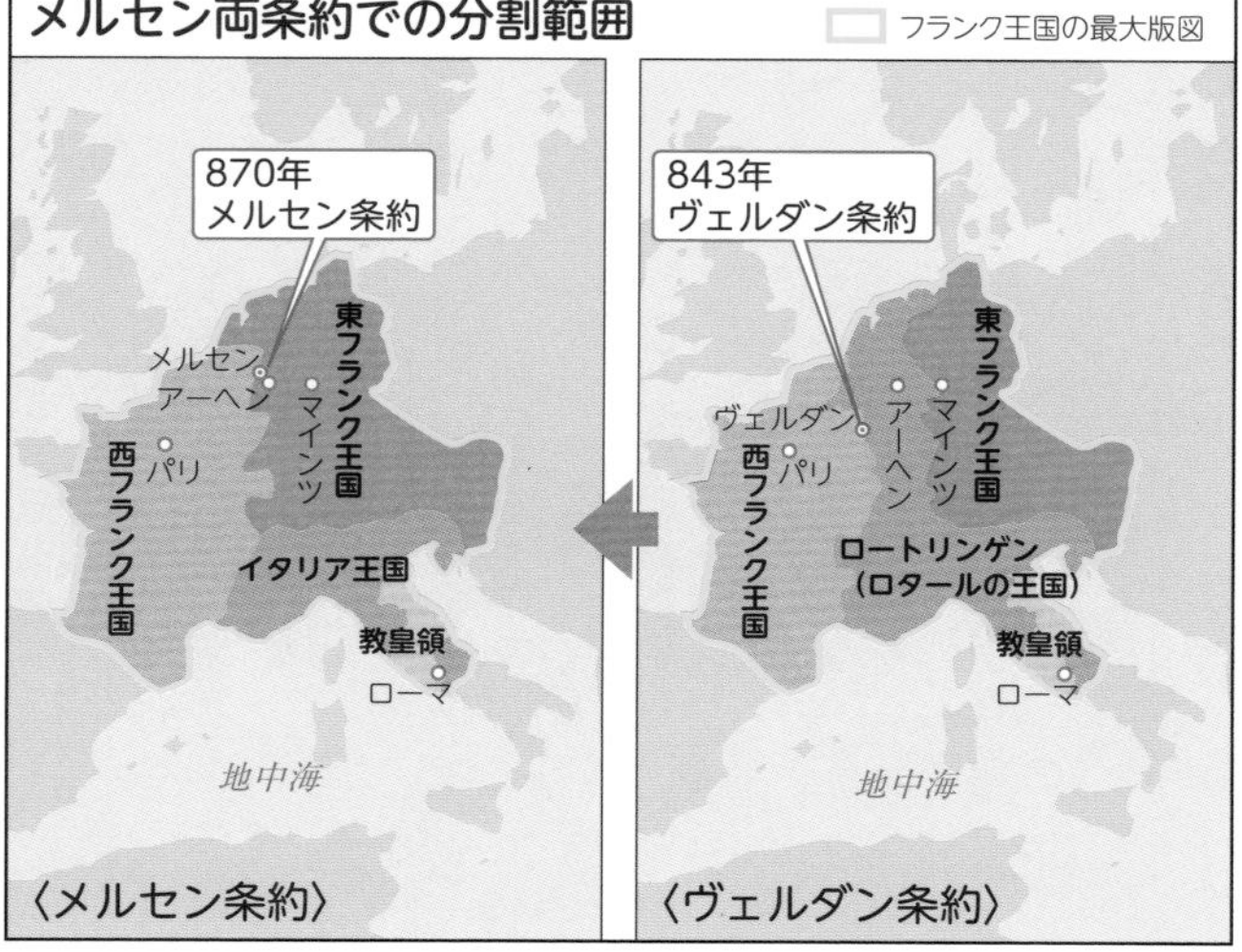

フランク王国の最大版図

〈ヴェルダン条約〉
843年
ヴェルダン条約
東フランク王国
ヴェルダン
アーヘン
マインツ
パリ
西フランク王国
ロートリンゲン
（ロタールの王国）
教皇領
ローマ
地中海

〈メルセン条約〉
870年
メルセン条約
東フランク王国
メルセン
アーヘン
マインツ
パリ
西フランク王国
イタリア王国
教皇領
ローマ
地中海

世界史の目

アーヘン 📷アーヘン大聖堂

フランスとの国境に近い町。カール1世の王宮が置かれ、のちにオットー1世が戴冠式を行ったことから、歴代皇帝はアーヘン大聖堂で戴冠式を行うようになった。アーヘン大聖堂は古典様式からビザンツそしてゴシック様式にいたる様々な要素を備えた宮殿教会で最初のユネスコ世界遺産登録の1つになった。

世界史の目

マクデブルク 📷エルベ川

エルベ川の左岸に位置し、オットー1世が即位前に過ごした街として知られる。かつて彼の宮殿があったところに聖カタリーナ大聖堂が立っている。10世紀後半に大司教座が置かれ、スラヴ人への布教の中心となった。17世紀半ばにプロイセン領となる。19世紀後半以降、「大砲王」「死の商人」と言われたクルップ社の製鉄所によって栄えた。

世界史の目

中世都市 📷ローテンブルク

ローマ都市、司教座都市や遠隔地貿易の経済的な要地から造られた新しい都市を含む、壁に囲まれ、教会と市場広場を持つ街。市参事会が市政の運営にあたった。ハンザ同盟の盟主リューベックはその面影を残し、ロマンティック街道沿いのローテンブルクやメルヘン街道のブレーメンなどは可愛い街並みの一大観光地だ。

Germany

2

ヴィッテンベルク、アイスレーベン、ミュンスター

Wittenberg, Eisleben, Münster

POINT

神聖ローマ皇帝とスペイン国王を兼任したカール5世（カルロス1世）。イタリア戦争などで仏王フランソワ1世と争っていたこの時代に宗教改革が起こる。ヴィッテンベルクで歴史の転換点を凝視する――

● 近世ドイツの宗教改革と宗教戦争

ローマ教皇がサン＝ピエトロ大聖堂の修築費捻出のためにドイツ国内で**贖宥状**（しょくゆうじょう）（**免罪符**）の販売を指示したことに、ヴィッテンベルク大学教授であったマルティン＝ルターが反発。1517年に「九十五か条の論題」を発表し、ローマ教皇と対立、破門されました。まもなく、**ルター派は禁止されますが、皇帝と対立していたザクセン選帝侯がルターを保護したことで、国内は皇帝・教皇を支持するローマ＝カトリックと選帝侯を中心とするルター派の内戦になりました。**ルターは**聖書主義***を唱え、『新約聖書』を独訳。それは活版印刷により複写され、ドイツ国内に広がっていきました。結局、**ルター派は認められたものの、領主が宗教選択権を持つことで個人に信仰の自由は与えられませんでした。**

17世紀に起きたカトリックとプロテスタントの諸侯同士の戦争だった**ドイツ三十年戦争***は、プロテスタントのデンマークやスウェーデンばかりでなく、カトリックであるフランスがハプスブルク家の打倒を狙ってプロテスタント側で参戦するなど、国際政治紛争にまで発展しました。結果、**ウェストファリア条約***では、**新たにカルヴァン派は認められたものの、個人の信仰の自由は認められず、また各諸侯に完全主権が与えられたことで、皇帝権は完全に名目的な存在になっていきました。**また、ドイツ国内も荒廃し、近代化が遅れることとなったのです。

16世紀ヨーロッパの宗教分布

世界史の目

ヴィッテンベルク

ヴィッテンベルク城教会の扉

ルターシュタット・ヴィッテンベルクが正式名称。ルターが九十五か条の論題を貼ったとされるヴィッテンベルク城付属聖堂の扉は現在青銅で作られ、その論題が刻まれる。ルターが聖書を訳した時のザクセン選帝侯の居城・ヴァルトブルク城にはルターの部屋がある。

世界史の目

アイスレーベン

ルター像

ルターの生家や晩年の家（ルター死去の地）があるルター縁の地であり、ヴィッテンベルクとともにルター記念建造物群として世界文化遺産に登録される。ただ、ドイツ三十年戦争の戦火に包まれ荒廃した。中央のマルクト広場にはルター記念碑がある。

世界史の目

ミュンスター **市庁舎**

ミュンスターとオスナブリュックの2都市で行われたウェストファリア会議は、世界で初めて主権国家の代表が集まり、近代国際法の元祖ともいうべき条約を結んだ。特に条約締結が行われたミュンスターはハンザ同盟にも加わり、ウェストファリア（ヴェストファーレン）地方で経済的に最も重要な都市となった。この条約が締結された市庁舎は条約の縁の地である。

Germany

3 ベルリン、ポツダム、ベルリン・フンボルト大学

Berlin, Potsdam, HU Berlin

POINT

ホーエンツォレルン家の支配するブランデンブルク選帝侯とポーランド諸侯のプロイセン公国が合併し、のちに「プロイセン王国」を名乗る。プロイセン王国とオーストリアの攻防を見通す——

●プロイセン×オーストリア

18世紀半ばのフリードリヒ2世の時代にプロイセンは全盛期を迎えます。一方、南東部に位置するオーストリアも、ウェストファリア条約以降、自国の領土拡大に専念し、ハンガリーや南ネーデルラント（のちのベルギー）を獲得しました。そうした中、父の死により王家を継承することになったのがマリア＝テレジアでした。

フリードリヒ2世とマリア＝テレジアはともに1740年に即位したライバルで、マリア＝テレジアはオーストリア継承戦争*で辛くも勝利したものの、人口も多く地下資源が豊富なシュレジエン地方をプロイセンに奪われてしまいます。その後に行われた七年戦争*でも奪回できませんでした。一方、プロイセン王国は「上からの近代化」を進めたフリードリヒ2世の時にポーランド分割*に参加して西プロイセンを獲得し、離れていた領土を繋げました。

フランス革命に対しては、革命の波及を恐れた周辺国がイギリスを中心に対仏大同盟を結成しました。しかし、1806年にナポレオンが主導して西南ドイツ16邦を神聖ローマ帝国から離脱させてライン同盟を結成したことで、ここに神聖ローマ帝国は消滅することになりました。ナポレオンに惨敗し、大きく領土を縮小されたプロイセンは内政・軍制・教育などの改革を行います。この時に設立されたのが現在のベルリン・フンボルト大学です。

プロイセン領の拡大

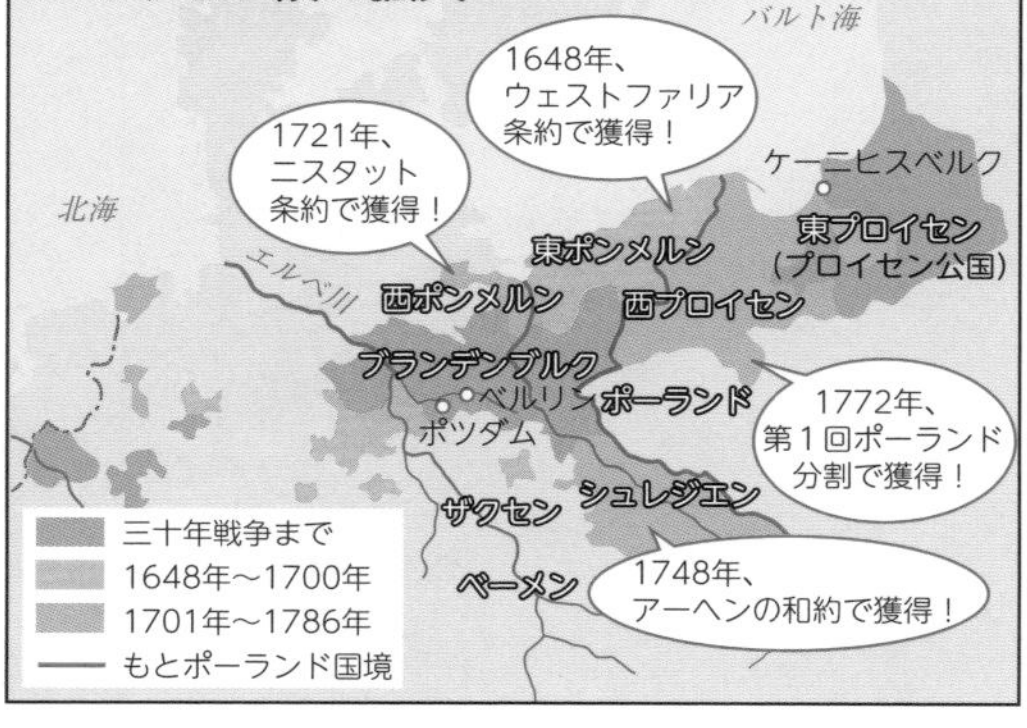

世界史の目

ベルリン 📷ブランデンブルク門

もともとは城郭都市だったが、フリードリヒ２世の父の時に要塞化が廃止され、代わりにいくつかの関税門が設置された。有名な「ブランデンブルク門」は、18世紀にブランデンブルク選帝侯がベルリンに遷都されるまでに首都としていたブランデンブルクと結んだ道に造られた。ベルリンの壁崩壊の写真に写る姿は日本でも有名。

世界史の目

ポツダム 📷サンスーシ宮殿

ベルリンから電車で30〜40分。駅から20分くらい歩いたところに大きな庭園（森みたい）があり、そこにフリードリヒ２世が建造したロココ式のサンスーシ宮殿がある。見た目は質素だが、内装の繊細さは目を見張る。また、バスで30分ほど行った湖畔にポツダム会談が行われたツェツィーリエンホーフ宮殿もある。

世界史の目

ベルリン・フンボルト大学

ベルリンがナポレオンに占領された後の1810年に教育改革の一環として言語学者であったフンボルトが設立した。「西洋近代化」「ナショナリズム高揚」などの文化人による上からの改革が進められた。反ナポレオン感情を高めた「ドイツ国民に告ぐ」の連続公演を行ったフィヒテはこの大学の初代学長であった。

Germany

4

ケルン大聖堂、ノイシュヴァンシュタイン城

Cologne Cathedral, Neuschwanstein Castle

POINT

ナポレオン戦争の処理会談で締結されたウィーン議定書では、神聖ローマ帝国は復活せず35の君主国と4の自由市で構成される「ドイツ連邦」が結成される。その後、統一に向かうドイツの空気を感じる——

●ドイツ統一の流れ

ドイツ連邦（1815〜1867）は、統一国家とは言えませんでした。そのため、**同じドイツ人ならば1つの国家として統一されるべきだという考えが次第に広がります。**1834年にはドイツ関税同盟が18国で結成されて経済的な統一が実現しますが、フランクフルト国民議会*では、プロイセンを中心とした政治的統一が決定したものの、それをプロイセン国王に拒否され、失敗に終わります。のちに、プロイセン首相ビスマルク*の「ドイツの統一は多数決ではなく、鉄（武器）と血（兵士）のみでしか実現できない」という言葉からわかるように、**ドイツ統一のための戦争が必要だと考えられていました。**

プロイセンはまずオーストリア（半分以上がドイツ人以外の民族）を破り、ドイツの枠組みから追い出し、「北ドイツ連邦」を結成。その後、この連邦に入らなかった西南ドイツ・カトリック4国の後ろ盾であるナポレオン3世（フランス皇帝）を破り、占領したヴェルサイユ宮殿*で「ドイツ帝国（1871〜1918）」の戴冠式を行い、ドイツ統一を果たし

ドイツ統一の経過

- 1819年**カールスバートの決議**
  - ↓自由主義・国民主義の抑圧
- 1834年**ドイツ関税同盟**発足（影響：**1830年 七月革命**）
  - ↓プロイセン中心の経済的統一
- 1848年**ベルリン三月革命**（影響：**1848年 二月革命**）
  - **フランクフルト国民議会**
  - ↓小ドイツ主義が勝利するが…
- 1849年プロイセン王が帝位を拒否（**統一頓挫**）
- 1861年プロイセン王に**ヴィルヘルム1世**即位
- 1862年**ビスマルク**が首相に就任
- 1864年**デンマーク戦争**に勝利
- 1866年**プロイセン＝オーストリア戦争**に勝利
  - ↓**シュレスヴィヒ・ホルシュタイン**獲得
- 1867年**北ドイツ連邦**成立
  - ↓ドイツ連邦解体
- 1870年**プロイセン＝フランス戦争**勃発
- 1871年**ドイツ帝国**成立（**ドイツ統一！**）

ます。表面的な立憲君主制と連邦制を敷きましたが、政教分離に反対するバイエルンらのカトリック勢力との「文化闘争」は10年ほど続き、国家統合には時間を要しました。

左の写真は、ヴェルサイユ宮殿では最も観光客に人気のある「鏡の間」です。357個ある鏡とシャンデリアで目がくらくらします。1783年のパリ条約、第一次世界大戦後で連合国とドイツとの間で結ばれたヴェルサイユ条約もここで調印されました。

鏡の間は、もとは待合室でのちに外交レセプションも行われるようになった。

世界史の目

ケルン大聖堂

４世紀に最も古い聖堂が造られ、12世紀には巡礼者を集めたが、その後火災で焼失、財政難で何度も再建が中断し、ようやく19世紀に建設が再開された。ナポレオン戦争でナショナリズムが高まる中、中世ドイツの伝統の探究から「ゴシック・リヴァイヴァル」建築として、各都市はお金を出し合い完成を支えた。ドイツ統一のシンボルと言ってよい。

世界史の目

ノイシュヴァンシュタイン城

シンデレラ城のモデルとして有名。ビスマルクの国家統合支持への見返りに送られた年金？賄賂（わいろ）？が建設費の中心だった。この時のバイエルン王が、ロマンチストでワーグナーの庇護者としても有名なルートヴィヒ２世（当時のオーストリア皇帝の王妃エリーザベトの従弟）で、のちに謎の死を遂げた。

Germany

5

ミュンヘン、ラインラント、ドレスデン

Munich, Rhineland, Dresden

POINT

第一次世界大戦に敗れ、多くの領土と人口を失ったドイツ（ヴァイマル共和国：1919～1933）。1923年の大インフレ時にヒトラーのミュンヘン一揆が鎮圧されるも、ナチス＝ドイツの足音はすぐそこまで聞こえている――

● ナチス＝ドイツの動向

ヒンデンブルクが大統領となった1925年、**ロカルノ条約***により**ラインラント（ライン川流域）の非武装化が再確認され、ドイツは国際連盟に加盟することになり**ました。しかし、**世界恐慌**により約600万人の失業者を出す未曽有の経済危機に陥ると、これに無策な現政権に不満を持つ労働者や、反対に社会主義勢力の台頭を恐れる中産階級や資本家の指示のもと、**ヒトラー率いるナチスが急成長を**果たしました。

1933年にヒトラー内閣が成立、独裁国家を完成させていきます。国内では**ベルリン・オリンピック**の開催、四カ年計画で公共事業を増やして失業者の激減に成功します。一方、**ユダヤ人迫害などでナショナリズムを高揚**させました。対外的には、ラインラントに進駐、**民族自決**（ドイツ人居住地はドイツに併合）に基づいて、オーストリアを併合したのち、チェコのズデーテン地方も併合、そして、ポーランドのダンツィヒ・ポーランド回廊を狙うことになりました。

こうして、**1939年9月1日のポーランド侵攻から第二次世界大戦が始まります。**前半はパリを陥落させる勢いでしたが、**独ソ戦**で劣勢になり、1945年2月の連合軍によるドレスデン無差別爆撃などもあり、**5月にヒトラーが自殺したのち、ドイツは無条件降伏をすること**になりました。

ナチス＝ドイツの領土拡大

1936年、ラインラント進駐
1939年、ポーランド回廊を通る鉄道の敷設を要求！
ポーランド回廊
北海
ダンツィヒ
東プロイセン
オランダ
ベルリン
ポーランド
ベルギー
ラインラント
ズデーテン
ドイツ
1939年、チェコスロヴァキアを解体
プラハ
ザール
チェコスロヴァキア
フランス
ミュンヘン
ソ連
スイス
オーストリア
1935年、ザール地方を併合
イタリア
1938年、オーストリアを併合
ドイツ本国
ドイツが併合した地域
ミュンヘン会談以前
ミュンヘン会談以後～第二次世界大戦勃発まで

世界史の目

ミュンヘン 📷街並み

昔のバイエルン王国の首都。カトリック色が濃い街で、中世から近代にかけてヴィッテルスバッハ家の本拠地であった。1923年のミュンヘン一揆はこの街最大のビアホール「ビュルガーブロイケラー」から起きている。1944年のヒトラー暗殺計画も同地で計画された。近郊にはナチスが最初に造った強制収容所「ダッハウ強制収容所」がある。

世界史の目

ラインラント

📷マルクスブルク城

北部のルール工業地帯と南部のブドウ栽培地域も含むライン川の中・下流域のこと。1814年にプロイセン領になり、ドイツ統一以降は経済の中心となった。北のコブレンツ～南のマインツの間を就航するライン川クルーズは有名。多くの古城を見ながら、急カーブでローレライなどを楽しむ。コブレンツの北にはボン、ケルンがある。

世界史の目

ドレスデン 📷エルベ川沿い

ザクセン州の州都。18世紀に造られたツヴィンガー宮殿やドレスデン美術館が有名。街を流れるエルベ川に近代的な大きな橋を架けることになり、世界遺産リストから「ドレスデン・エルベ渓谷」の登録が抹消された。1945年の連合軍による大爆撃で街は完全に廃墟化したが、多くの美術品は洞窟に隠してあり難を逃れた。

6 ボン、ベルリン

Bonn, Berlin

POINT

敗戦国ドイツは第二次世界大戦後、米英仏ソの4か国による分割占領を受けることとなった。東西対立の象徴ともなるベルリン封鎖と壁構築の歴史から、イデオロギーによる分断の悲劇を知る――

● 戦後のドイツ

1948年、西側のドイツで行われた単独通貨改革に反発したソ連が「ベルリン封鎖（西ベルリンを囲む経済封鎖）」を行いました。これをきっかけに、翌年にボンを首都とした「ドイツ連邦共和国（西ドイツ）」と、ベルリンを首都とした「ドイツ民主共和国（東ドイツ）」ができました。西ドイツは間もなく主権を回復してNATO*へ加盟し、のちにEC*を結成し、軍事・経済ともに西ヨーロッパ世界の一員となりました。一方、東ドイツはソ連の衛星国として、一党独裁政治が行われ、次第に経済的に豊かな西ベルリン（西ドイツ）への人口流出が起こるようになりました。

そうした中、1961年に東西ベルリン間の通行を遮断し、西ベルリンを隔離する「ベルリンの壁」が構築されました。まさに、冷戦の象徴となったものです。しかし、1970年代の西ドイツ首相ブラントによる東方外交（社会主義陣営への歩み寄り）で東西ドイツ基本条約が結ばれ、73年には国連同時加盟を果たしました。そして、1989年に起きた東欧革命により、東ドイツでは独裁者ホ

東西ドイツ（4分割統治）とベルリンの壁

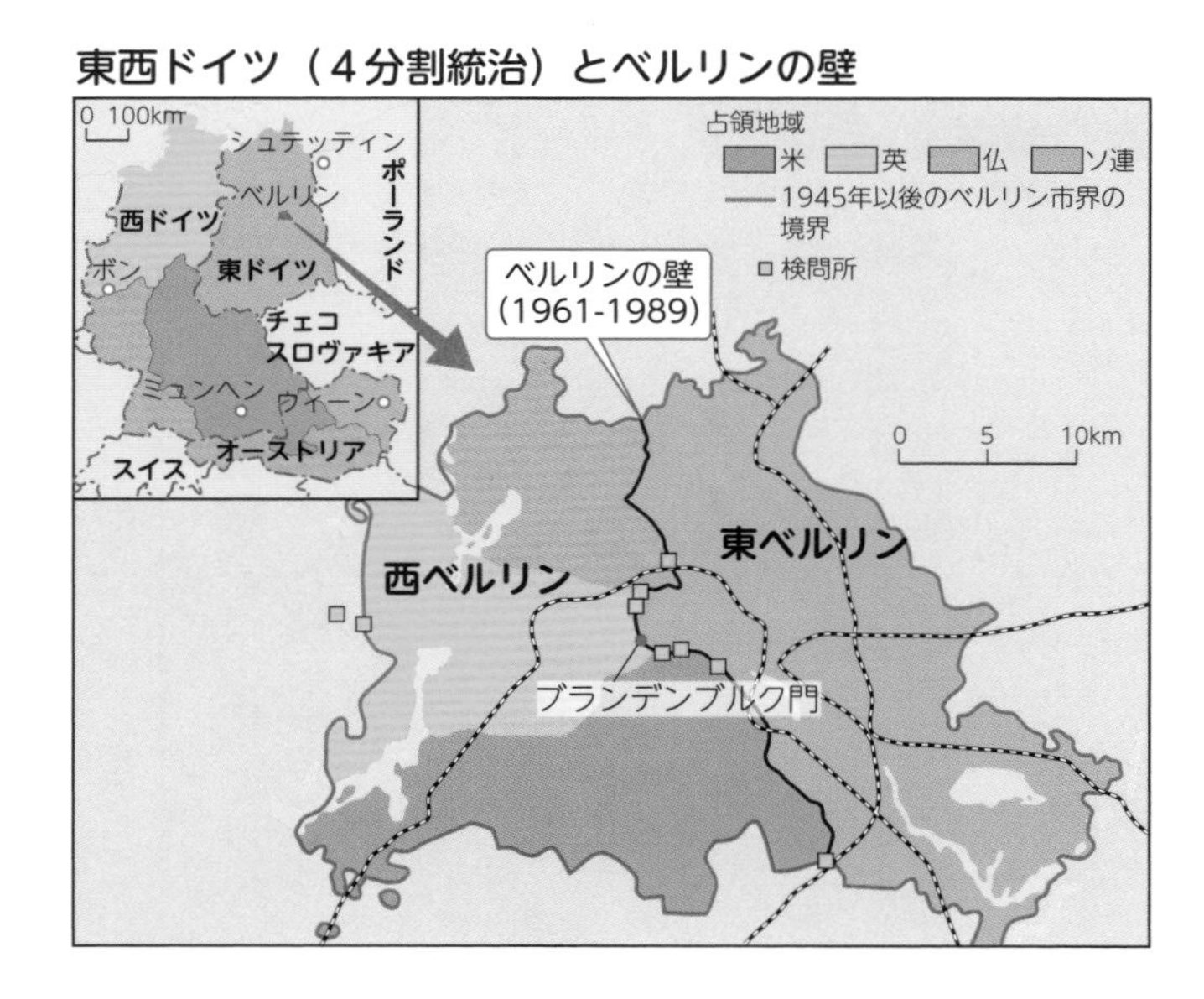

ネカーが辞任。11月9日にはベルリンの壁が崩壊し、翌90年に西ドイツが東ドイツを吸収する形で（首都はベルリン）、東西ドイツが統一されました。その後、93年にはフランスとともにEU*の成立に尽力します。

左の写真は、元西ドイツの首都ボンにあるボン大聖堂です。ローマ皇帝コンスタンティヌスの母が造ったと言われ、カール4世などの戴冠式が行われた教会でロマネスク建築様式の荘重な教会とされています。

ボンは、作曲家のベートーヴェンが生誕、シューマンが没した街である。

世界史の目

ベルリンの壁

1948〜1949年に起きたベルリン封鎖の時には壁はなく、1961年に構築された。東ベルリン側から建設されている。当初は境界に沿って有刺鉄線が張りめぐらされ、その後、石とコンクリートで「壁」ができた。最終的な壁の総延長は155㎞となった。現在、ベルリン中央駅を出た目の前に壁のアートギャラリーが残されている。まさに、芸術と歴史のコラボと言えよう。

世界史の目

壁博物館

チェックポイント・チャーリー

正式名称は「ハウス アム チェックポイント・チャーリー」。東西ベルリンをつなぐ道路にある3つのチェックポイントの1つだったところにある。壁構築の歴史、脱出に成功した人たちとその方法、犠牲になった人々について展示されていて、私はベルリンを訪れるたびにこの博物館に足を運ぶ。イデオロギーが引き起こした悲劇の歴史を知ることができる。

フランスの歴史

融合・戦争・独裁・革命・政変という歴史的経験値が高い国

4
5
6
ルーヴル美術館、ヴェルサイユ宮殿
Louvre musee, palace of versailles
P.44
モンサンミシェル、コンコルド広場
Mont Saint-Michel, Concorde Square
P.46
コルシカ島
Corsica
P.46
エトワール凱旋門、ジヴェルニー
triumphal arch, Giverny
P.48
ヴェルダン要塞
Verdun
P.48
ヴィシー、ノルマンディー
Vichy, Normandy
P.50
ストラスブール
Strasbourg
P.50
17世紀後半
ルイ14世の親政開始（＊絶対王政期の絶頂）
1789年
フランス革命始まる
1804年
ナポレオン戴冠式@ノートルダム大聖堂
1852年
ナポレオン3世による第二帝政の開始
1871年
第三共和政始まる
……プロイセン＝フランス戦争
1940年
ナチス＝ドイツによるパリ占領
……ヴィシー政府
1945年
第四共和政始まる
1958年
第五共和政始まる
1993年
ヨーロッパ連合（EU）の成立

France

1 南フランス、ランス大聖堂、クリュニー修道院

Southern France, Cathedrale Notre-Dame de Reims, Cluny Abbey

POINT

ケルト人が住みついた頃からフランスはガリアと呼ばれるようになる。紀元前7世紀頃にはギリシア人により現在のマルセイユやニースに植民市が建設された後、ローマの支配下に入ったガリアの足跡をたどる――

●フランク王国の登場

紀元前1世紀、ローマ将軍カエサルによるガリア遠征で、ガリアはローマの属州となりました。**1世紀にはローマ風都市としてパリ（当時はルテティア）が建設され、フランス全土にローマ文化が広がりました。**

4世紀後半からローマ領内に侵入していたゲルマン人が、ライン川を越えてフランス北部に建国したのが**フランク王国***です。建国者クローヴィスはローマ人との親密化を図るため、ローマ人にとって正統である**キリスト教アタナシウス派***（三位一体説）に改宗しました。その後、西から侵入してきたイスラーム勢力を撃退したフランク王国は東ローマ皇帝と対立していたローマ教会に接近し、800年の**カール戴冠***（滅亡した西ローマ帝国の帝冠をローマ教会から授かり後継者となる）で**西欧世界の政治的支配者の地位を獲得します。**

その後、3つに分裂し、**西フランク王国が現在のフランスを支配しました。**一方、10世紀にはキリスト教の世俗化を是正する教会刷新運動が起こり、その旗手としてクリュニー修道院やシトー修道会などが設立されました。

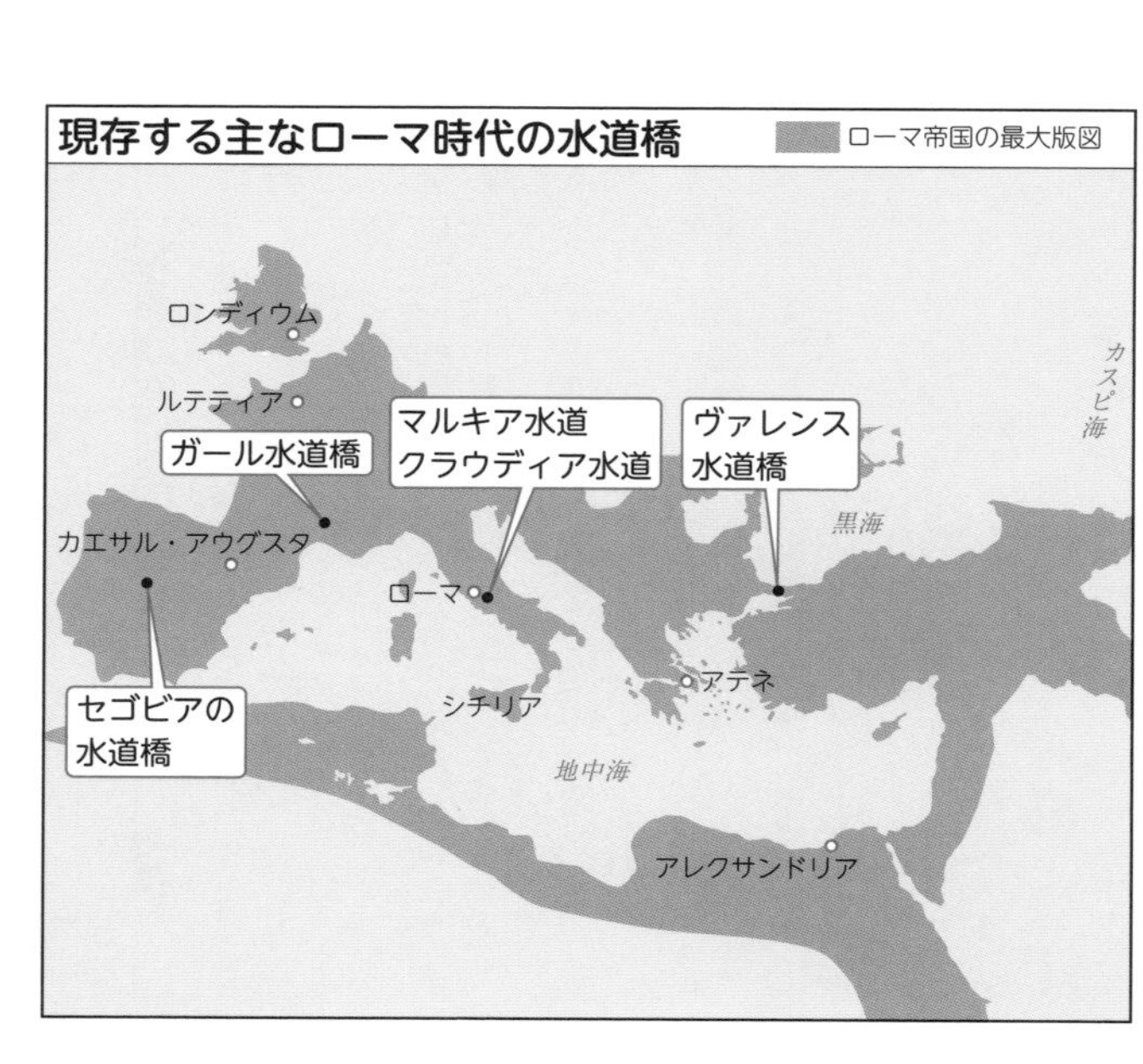

世界史の目

南フランス 📷ガール水道橋

ローマはこの地域にたくさんの遺跡を残した。コート・ダジュールに位置するニース、モナコ、カンヌなどにもローマ時代の建造物やギリシア風神殿がある。また、アルル（ゴッホの「夜のカフェテラス」のモデルになったカフェがある街）の円形闘技場やそこから50kmほど北にあるガール水道橋はローマ建築の傑作の1つだ。

世界史の目

ランス大聖堂

フランク王国建国者のクローヴィスがキリスト教改宗の洗礼を受けたところに建てられた教会。ランス・ノートルダム大聖堂は13世紀に造営され、歴代フランス王はここで戴冠式を行った。フランス革命期や第一次世界大戦でのドイツによる空爆や砲撃で彫像やステンドグラスの多くが破壊されたが、そのたびに修復を行い、ゴシック教会の傑作の1つとなった。

世界史の目

クリュニー修道院

フランス東部のブルゴーニュ地方にある修道院で、910年に創設され、修道院改革運動の中心となった。十字軍遠征を提唱したウルバヌス2世はこの修道院出身。一部残された当時の建造物はロマネスク建築である。リヨンからレンタカーで向かったがワイン畑を突っ走る自分に酔ったのを覚えている。

France

2

南フランス、アヴィニョン、ジャンヌ＝ダルク縁(ゆかり)の地

Southern France, Avignon, Jeanne d'Arc

POINT

10世紀末に西フランク王国でカロリング家が断絶すると、ノルマン人のセーヌ川への侵入を撃退した功でパリ伯ユーグ＝カペーが選挙によりフランス国王となる。カペー朝の王権拡大とその後を目視する——

● 中央集権化を進めるカペー朝

早くも12世紀後半には、イギリスがフランス諸侯(しょこう)との血縁関係を広げ、フランス西半分がイギリス領になってしまいます。これに対し、**王権強化・中央主権化を進めようと登場したフィリップ2世は、英王ジョンとの戦争に勝利し、大陸英領の奪回に成功しました**。その後、**ルイ9世の時代にはキリスト教異端カタリ*（アルビジョワ派）と結んだ南フランスの大諸侯を制圧**し、王権を伸長させました。さらに、**フィリップ4世の時代には教皇庁を南フランスのアヴィニヨンに移転**させ、自らの支配下に置きます。こうして王権は強大化していきました。

1328年にカペー朝*が断絶し、従弟のフィリップ6世がヴァロワ朝*を創始すると、フィリップ4世の娘を母に持つ英王エドワード3世が王位継承を主張し、**イギリスとの百年戦争に突入**します。14世紀半ばに起きたペスト大流行や**ジャックリーの乱***（農民反乱）もあり、北部一帯が英軍に占領されるほど、終始フランスは劣勢でしたが、**少女ジャンヌ＝ダルク*の登場でフランス軍の士気は上がり、とうとう逆転勝利**しました。

フランス王国の領土奪回地図

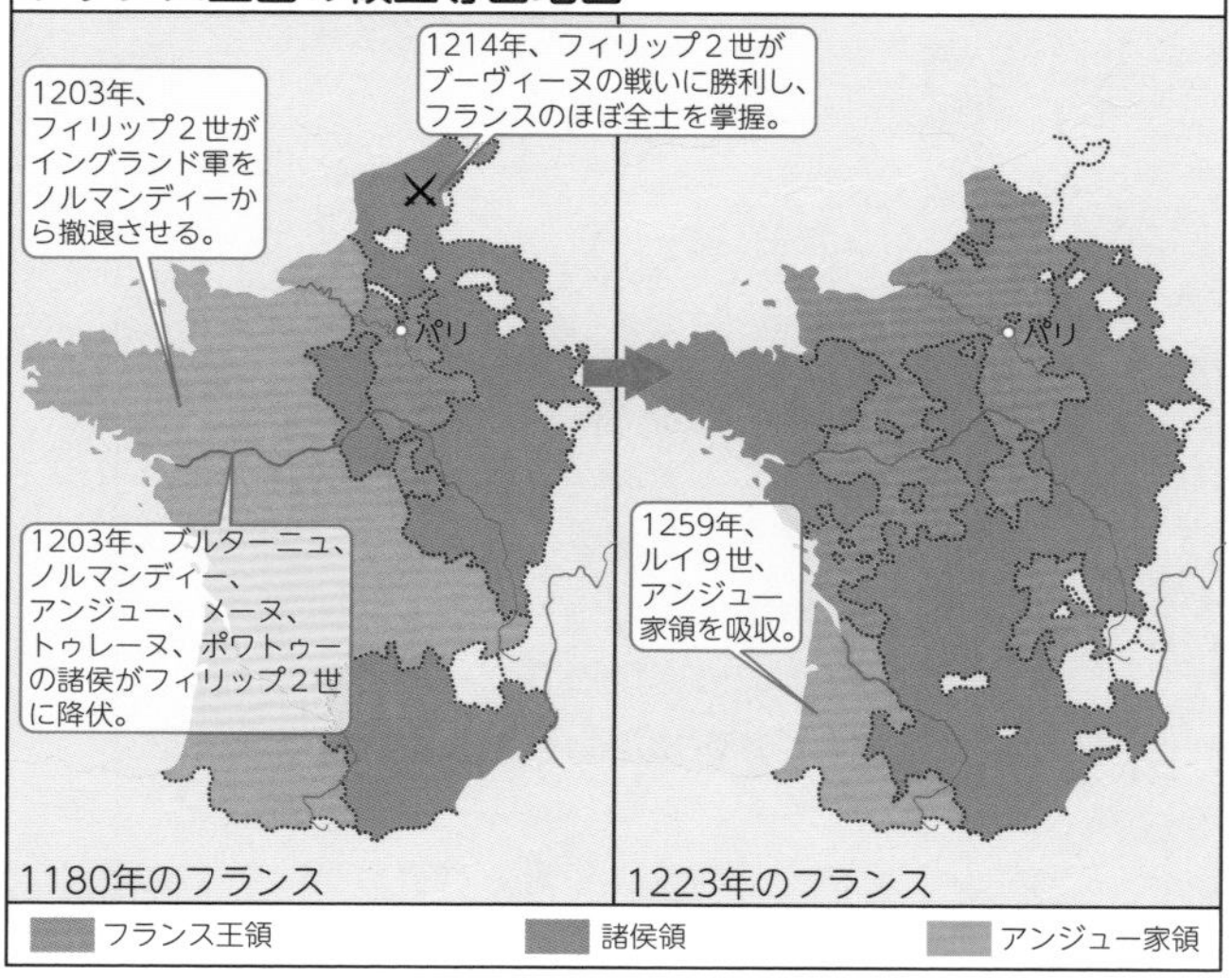

世界史の目

南フランス

カルカソンヌ城塞都市

ガロ＝ローマン期の城塞は一部残っているが、11世紀以降にトランカヴェル家がカルカソンヌ・アルビ・ニームを支配した頃にカタリ派（キリスト教異端）を受け入れ、城の建造・城塞に修復が行われた。城塞は小高い丘にあり、旧市街のホテルの窓から見える夜景が絶景。のぼりはきついのでゆっくりと。

世界史の目

アヴィニョン

サン・ベネゼ橋

低い城壁で囲まれた隣にはローヌ川が流れ、途中までしか行けない橋がある、私の大好きな穏やかな中世都市。教皇庁跡はフランス革命期に内部は破壊・略奪されたため、ほとんど何もないがそれが歴史を感じていい。車も少なく、道端のカフェで本を読むなんて最高。ここからガール水道橋までは車で30分で行ける。

世界史の目

ジャンヌ＝ダルク縁の地

生家のあるロレーヌ地方のドンレミ、イギリス軍の包囲を撃退したオルレアン、シャルル王太子を"7世"として戴冠させたランス、敵に捕獲されたコンピエーニュ、処刑されたノルマンディー地方のルーアン…（卒業論文のテーマだったので思いは強くて、50歳のころまでにすべて回り終えた）。ドンレミはレンタカーでしか行けないド田舎だったがテンションは上がった。

France

3

ロワール渓谷の古城、ルーヴル美術館、ヴェルサイユ宮殿

Loire River, Louvre musee, palace of versailles

POINT

百年戦争で勝利したフランスは16世紀前半に最盛期を迎え、文化面でもフランス＝ルネサンスが開花。一方、約60年に及ぶハプスブルク家とのイタリア戦争では敗北。その後絶対王政へ向かうフランスを知る――

●絶対王政の完成

スイスにおける**宗教改革**の影響で、カトリックの多いフランスにも**カルヴァン派**（ユグノー）が増え、この新旧両派の対立から約30年にわたる**ユグノー戦争**が勃発しました。最終的にはヴァロワ王家も巻き込んだ大内乱になり、ヴァロワ王家の断絶により、ユグノー諸侯（しょこう）であったナヴァル王アンリがアンリ4世として即位し、**ブルボン朝**（1589～1792、1814～1830）を創設しました。彼は多数派のカトリックに配慮して、自らはカトリックに改宗、**ナントの王令**を発布し、ユグノーを認めることでこの戦争を平定しました。その後は、ルイ13世・ルイ14世と続き、**絶対王政**を完成させることになりました。

のちに「太陽王」と呼ばれたルイ14世は、蔵相にコルベールを登用し、貿易に力を入れる**重商主義政策**をとり、**東・西インド会社**による植民地経営を推し進めます。さらに、多くの侵略戦争や植民地戦争を繰り広げ、イギリスに敗北し、多くの植民地を失いました。

一方、熱心なカトリックであったため、ナントの王令を廃止し、商工業者の多いユグノーの大量亡命を生み出しました。このことは産業の停滞による経済的衰退を引き起こしました。さらに、オーストリア継承戦争で戦費がかさんで王室は財政難となり、フランス革命の一因となったのです。

ロワール渓谷の城館群

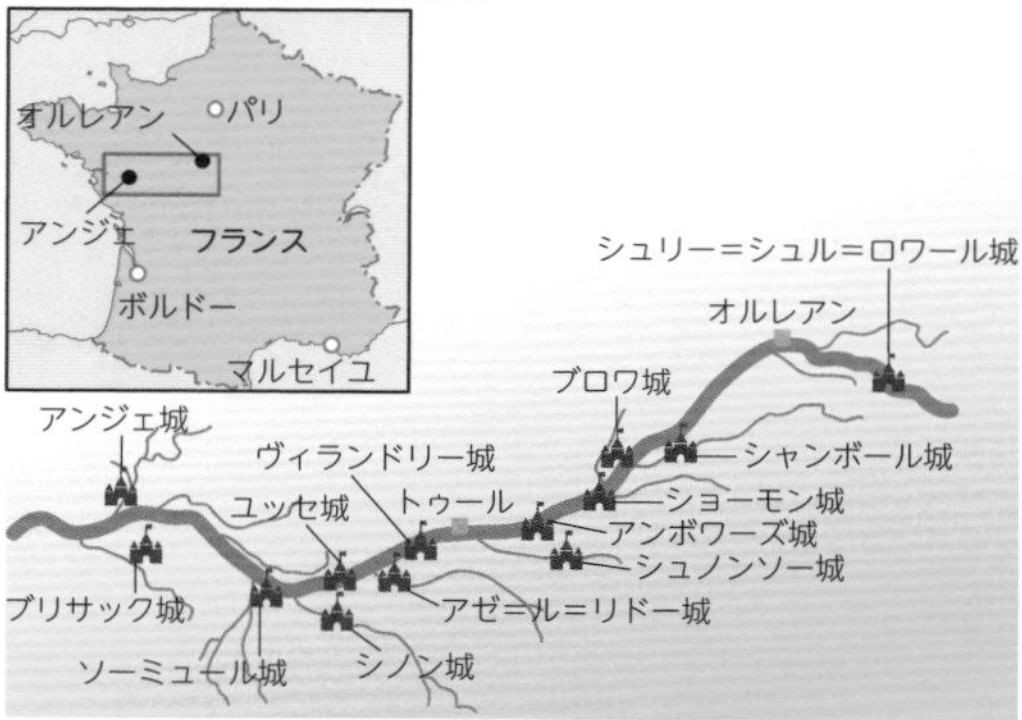

オルレアン
パリ
アンジェ
フランス
ボルドー
マルセイユ
シュリー＝シュル＝ロワール城
オルレアン
ブロワ城
アンジェ城
シャンボール城
ヴィランドリー城
ユッセ城
トゥール
ショーモン城
アンボワーズ城
シュノンソー城
ブリサック城
アゼ＝ル＝リドー城
ソーミュール城
シノン城

世界史の目

ロワール渓谷の古城

シャンボール城

狩猟小屋として造られた荘厳なシャンボール城、レオナルド・ダ・ヴィンチが招かれ、隣の教会に彼の墓があるアンボワーズ城、ジャンヌ＝ダルクが初めてシャルル王太子に謁見したシノン城、ユグノー戦争時代の王妃カトリーヌと関係の深い最も美しいシュノンソー城がある。パリから日帰りで行ける。

世界史の目

ルーヴル美術館

要塞として建設された城を基盤にフランソワ1世が王宮として修築、ルイ14世がヴェルサイユ宮殿を自身の王宮にしたことから、この王宮は王室美術コレクションの収蔵場所となり、フランス革命期に美術館として開館した。全部見るには飽きると思う人は日本人がよく知っているハンムラビ法典・ヘレニズム彫刻・中世末～19世紀の絵画から見てはいかが？

世界史の目

ヴェルサイユ宮殿

ルイ14世が幼少期にフロンドの乱（パリで起きた貴族の反乱）を経験し、王宮をパリから離れたところに移すことを決めたと言われている。庭園も含めバロック建築の代表的建造物とされる。入場だけ団体で入ってしまえば、後は個人行動で問題なし。庭園も含めると4時間はかかるかも。

France

4

モンサンミシェル、コンコルド広場、コルシカ島

Mont Saint-Michel, Concorde Square, Corsica

POINT

たび重なる戦争にかかる費用や王室の贅沢などが原因で国家財政は破綻寸前だった18世紀末のフランス。革命期の空気が感じられるコンコルド広場から、フランス激動の歴史を体感する――

●フランス革命の勃発

政府はこれ以上の平民からの徴税は困難と判断し、特権身分である聖職者・貴族への課税を考えました。しかし、久しぶりに開いた**三部会***（身分制議会）にて対立した平民らが三部会から離脱し、国民議会を作ったことが**フランス革命***の予兆となり、1789年7月14日に起きた**バスティーユ牢獄襲撃事件**が革命の始まりとなったのです。ただ、フランス革命は、国王×議会の対立だけでなく、平民層も上層・中間・下層での対立構造をもつ階級闘争になっていきました。

急進派が政権を握ると、ルイ16世と王妃マリー・アントワネットをはじめ多くの人が処刑されました。キリスト教も排斥されました。さらに、革命の波及を恐れた周辺国との対外戦争も始まったのです。結局、この**恐怖政治**（ラ・テレール：テロの語源）は長く続かず、まもなく中間層が支持する穏健共和政へと変わりますが、社会不安が増大する中、**ナポレオン・ボナパルトが登場し、1804年に国民投票で皇帝に即位**、**第一帝政を開始**しました。当初は勝利を重ねましたが、ロシア遠征の失敗などを契機に最終的に**ワーテルロー***の戦いで破れ、南太平洋の孤島（セントヘレナ島）に流されてしまいました。同時に、ナポレオン戦争の処理として**ウィーン会議***が開かれ、フランスには再び**ブルボン朝**が復活することになったのです。

フランス帝国の版図

デンマーク及びノルウェー王国
スウェーデン王国
ロシア帝国
イギリス
ウェストファリア王国
プロイセン王国
ワルシャワ大公国
ザクセン王国
パリ
スイス連邦
バイエルン王国
オーストリア帝国
フランス帝国
イタリア王国
ポルトガル王国
スペイン王国
マドリード
教皇領
オスマン帝国
サルデーニャ王国
ナポリ王国
シチリア王国

フランス帝国
フランス帝国とその同盟国

世界史の目

モンサンミシェル

パリから日帰りできるフランスで最も人気のある観光地。10世紀に建てられた修道院だが、百年戦争中には要塞として使われ、フランス革命中はキリスト教排斥であったこともあり、内部は破壊されて牢獄として使用された。2014年に新しい橋ができてしまい、満潮時で孤島になる姿は残念ながら趣に欠けるものとなってしまった。

世界史の目

コンコルド広場

ギロチン台が置かれた場所が現在のコンコルド広場。エジプトのルクソール神殿から運んできたオベリスクを、そこに立ててある。写真の角度から夜景を見ると、オベリスクの後ろでライトアップされて輝くエッフェル塔の姿も加わり、ベストな眺めを楽しめるだろう。

世界史の目

コルシカ島 📷ナポレオン像

コルシカ島はジェノヴァの支配下にあったが、ナポレオンが生まれた1769年にフランス領となったので、ナポレオンはかろうじてフランス人と言ってよい。ナポレオンはこの島の西南部、アジャクシオ出身。ナポレオンの生家・洗礼を受けた教会があり、毎年8月にナポレオン祭が3日間行われる。

France

5

エトワール凱旋門、ジヴェルニー、ヴェルダン要塞

triumphal arch, Giverny, Verdun

POINT

ウィーン体制下で、2度の革命が起こり、3回政体が変わったフランス。ブルボン復古王政→七月革命→オルレアン七月王政→二月革命→第二共和政という激動の歴史を感じる旅へ――

●ドイツとの対立へ

1848年に成立した第二共和政でも社会不安が起こり、軍事クーデタを起こしたルイ＝ナポレオン（ナポレオン＝ボナパルトの弟の子）が国民投票で皇帝に即位し、ナポレオン3世となって第二帝政を開始しました。内政においては、社会政策の充実化と国家主導の産業化を推進、セーヌ県知事オスマンに命じてパリ市の改造を実施しました。1855年・1867年にはパリで万国博覧会も開催されました。一方外征では、*クリミア戦争から始まり、ベトナム・中国への植民地拡大戦争で次々と勝利しました。しかし、メキシコ遠征の失敗後、プロイセン＝フランス戦争に敗れて捕虜となり、第二帝政は崩壊、第三共和政が成立しました。

この共和政下では対ドイツ復讐主義の風潮が強まったことで右派や軍部が台頭、20世紀初めに起きた2度の*モロッコ事件でドイツと対立したことが決定的なものとなり、そして、第一次世界大戦を迎えることになったのです。マルヌの戦いやヴェルダン要塞の攻防戦でドイツ軍の侵攻をなんとか防ぎきり、最終的にドイツに勝利しました。

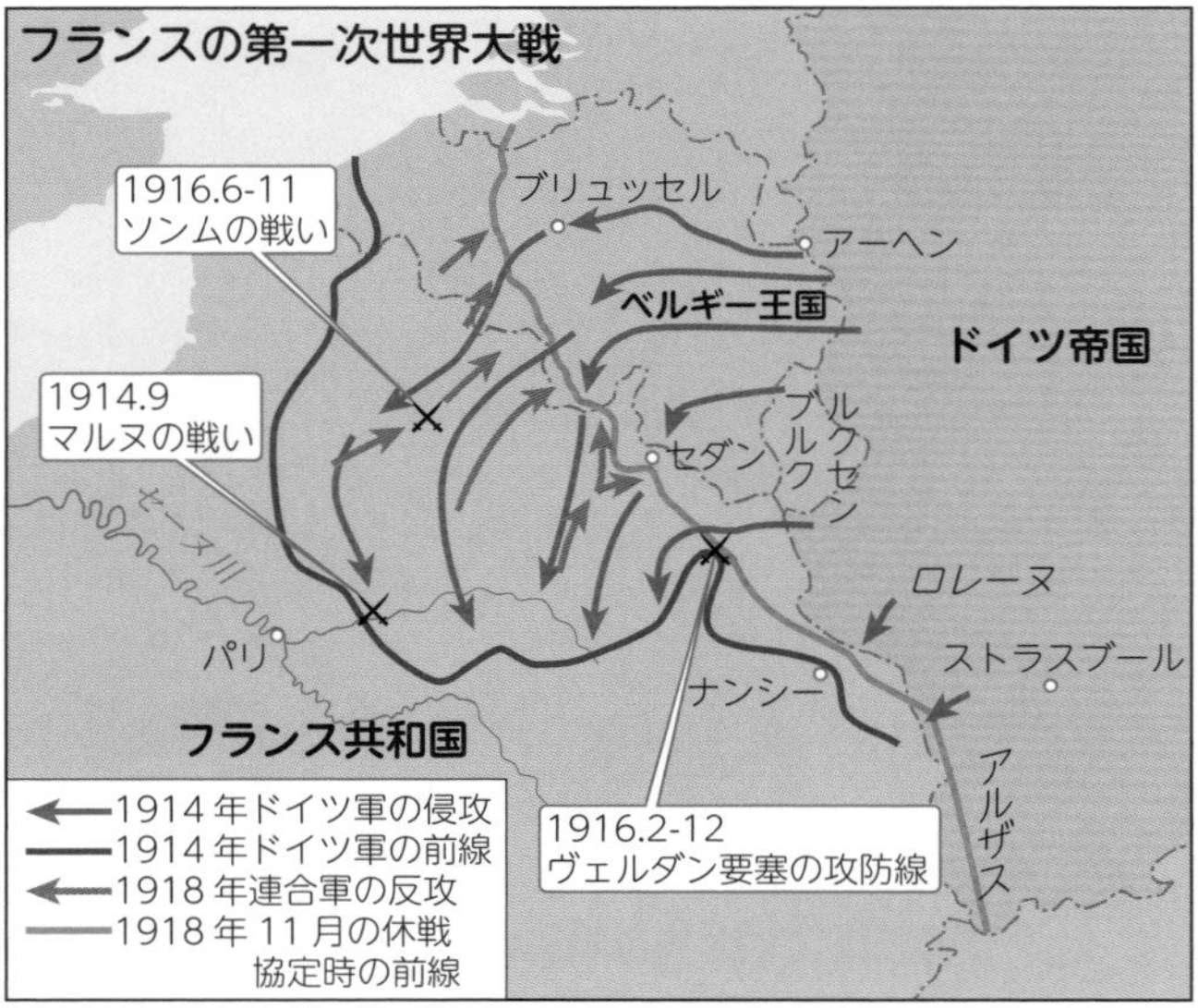

フランスの第一次世界大戦

1916.6-11
ソンムの戦い
1914.9
マルヌの戦い
1916.2-12
ヴェルダン要塞の攻防線
ブリュッセル
アーヘン
ベルギー王国
ドイツ帝国
ルクセンブルク
セダン
ロレーヌ
ストラスブール
ナンシー
アルザス
セーヌ川
パリ
フランス共和国

1914年ドイツ軍の侵攻
1914年ドイツ軍の前線
1918年連合軍の反攻
1918年11月の休戦協定時の前線

世界史の目

エトワール凱旋門

ナポレオン・ボナパルトの命で建設が始まり、七月王政期に完成した。この凱旋門とコンコルド広場を結んでいるのがシャンゼリゼ通りであり、おしゃれなショップやカフェが並ぶ。凱旋門の夜景はシャンゼリゼ通りの凱旋門から100mほど行った中央分離帯から撮影するとインスタ映えの写真が撮れるが交通量が多いので命懸けとなる。

世界史の目

ジヴェルニー 📷モネの庭園

1867年のパリ万博には日本から幕府と薩摩藩が別々に出店した。この日本文化に触れたフランス人の間でジャポニスム（日本趣味）が流行した。この展示であった浮世絵の影響を受けたのが印象派の1人であるクロード＝モネ。彼の代表作『睡蓮』が描かれた自宅はジヴェルニーにあり、有名な観光スポットになっている。とにかく混んでいる。

世界史の目

ヴェルダン要塞

2016年、100周年を記念して博物館ができて周辺が整備されたので、2017年にレンタカーで訪れてみた。車でも感じるアップダウンは、この攻防戦で造られた塹壕の長さ・多さを物語っていた。ヴェルダンはロレーヌ地方の中心都市で、アルザスとともに常に独仏の領土争奪の的になっていた。現在でも不発弾の処理が続いている。

France

6

ヴィシー、ノルマンディー、ストラスブール

Vichy, Normandy, Strasbourg

POINT

第一次世界大戦終結後のパリ講和会議では対ドイツ復讐感情があらわになり、ドイツにとってかなり厳しい内容となったヴェルサイユ条約（1919）。ナチス＝ドイツとの攻防に固唾をのむ——

●第二次世界大戦期のフランスと戦後

ヴェルサイユ条約締結後、1923年にはルール工業地域に出兵し、この地域を占領しました。その後、**イギリスの仲介によりロカルノ条約が結ばれ、ドイツとの和解が成立**しました。しかし、ナチス＝ドイツがヴェルサイユ（ロカルノ）条約を破って領土拡大を開始すると、イギリスとともに宥和政策をとり、ヒトラーを台頭させることになったのです。第二次世界大戦が始まると、**1940年にパリを占領され、フランス北部はドイツ占領地になります。南部にはドイツの傀儡政権としてヴィシー政府が樹立**されました。しかし、独ソ戦でのドイツの劣勢やアメリカの参戦で風向きが変わり、**1944年のノルマンディー上陸作戦によってパリは解放**されました。

第二次世界大戦で成立した第四共和政はインドシナ戦争での敗北やアルジェリア解放戦争での無力さが露呈してしまい、1958年に大統領の権限を強化した第五共和政が成立しました。初代大統領となったド＝ゴールは〝フランスの栄光〟をスローガンに、独自路線をとっていきます。核保有・中華人民共和国承認・NATOからの脱退などを行いました。また、ド＝ゴールが先導して成立したECは、70年代にはイギリスなどにも拡大し、93年にはEUになったのです。

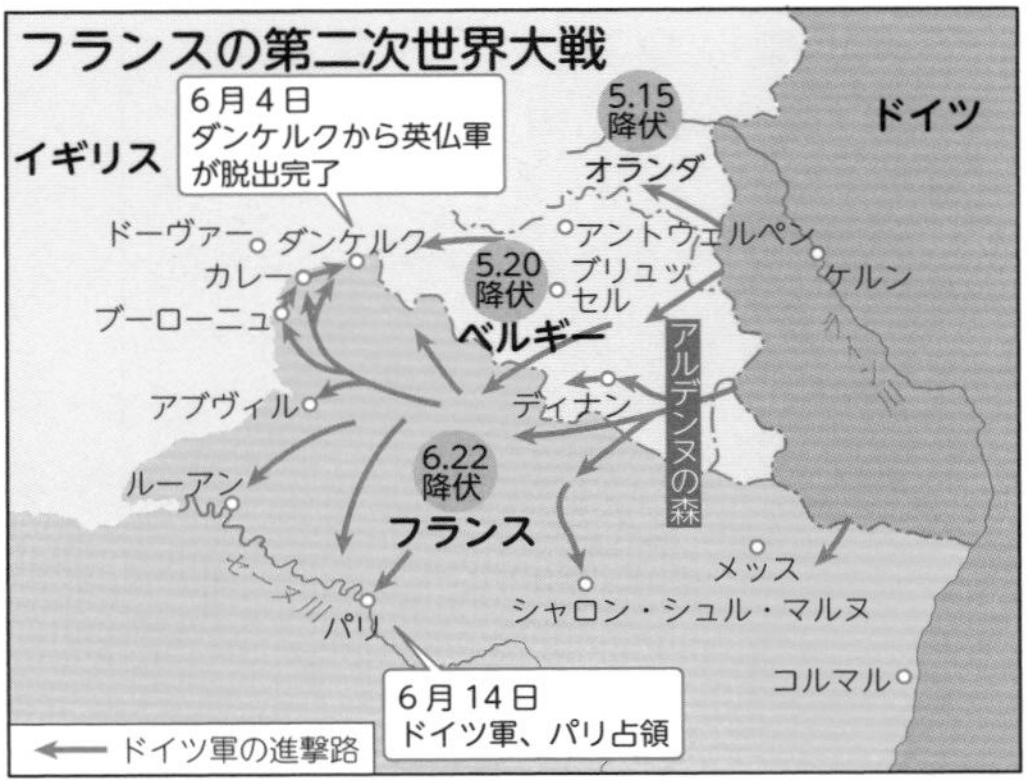

世界史の目

ヴィシー 市庁舎

なぜここにドイツの傀儡政権の首府が置かれたのか？　パリから比較的近く、温泉地だったのでホテルが多く、臨時の官庁などが設置しやすかったからと言われている。主席となったペタンは、第一次世界大戦のヴェルダン要塞の攻防戦でドイツ軍を撃退した元帥。近くのボルヴィックと同様にここのミネラルウォーターはうまい。

世界史の目

ノルマンディー オマハビーチ

ノルマンディー上陸作戦はコードネーム名"オマハビーチ"で最初に行われた。1066年のノルマン征服を刺繍したタペストリーが保管されているバイユーという町が拠点となる。車でないと見て回れない。今でも、アメリカが上陸させた船の残骸やドイツのバンク跡が残される。可愛い外装の博物館には上陸作戦の生々しい様子が展示されていて、ギャップを感じた次第…。

世界史の目

ストラスブール 街並み

独仏の争奪戦が繰り広げられたアルザス地方の中心都市で、フランクフルトからもパリからも２時間程度のところにある。活版印刷を改良したグーテンベルクやゲーテ、モーツァルトも住んでいた。旧市街を周回する運河クルーズは有名。EUの欧州議会の本会議場がある。

イタリアの歴史

過去の2度の栄光と現在の苦難が混在する最強の観光国家

1

フォロ・ロマーノ Roman Forum P.54

ポンペイ遺跡 Pompeii Ruins P.54

ラヴェンナ Ravenna P.54

2

ヴェローナ Verona P.56

中世都市 medieval city P.56

シチリア島 Sicily P.56

前8世紀	●ラテン人が都市国家ローマを建設
前3世紀	●ローマがイタリア半島を統一
395年	●ローマ帝国の東西分裂
476年	●西ローマ帝国の滅亡
9世紀	●フランク王国の分裂 ……中部フランク王国の成立
12世紀頃	●北イタリアにおけるコミューン運動 ……都市共和国が成立
1130年	●南イタリア・シチリア島に両シチリア王国が成立

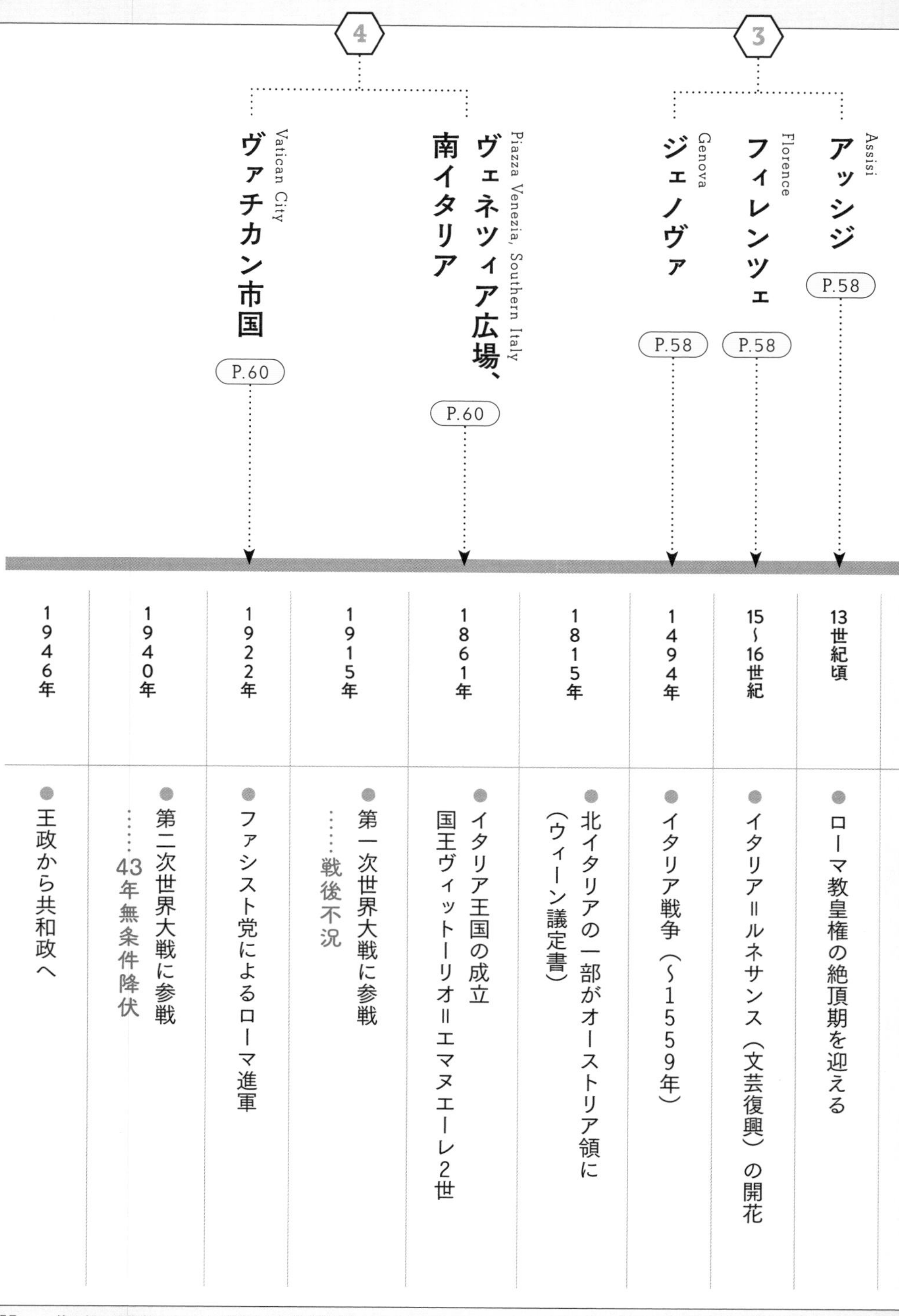
3
Assisi
アッシジ
P.58
Florence
フィレンツェ
P.58
Genova
ジェノヴァ
P.58
4
Piazza Venezia, Southern Italy
ヴェネツィア広場、南イタリア
P.60
Vatican City
ヴァチカン市国
P.60
13世紀頃
ローマ教皇権の絶頂期を迎える
15～16世紀
イタリア＝ルネサンス（文芸復興）の開花
1494年
イタリア戦争（～1559年）
1815年
北イタリアの一部がオーストリア領に（ウィーン議定書）
1861年
イタリア王国の成立
国王ヴィットーリオ＝エマヌエーレ2世
1915年
第一次世界大戦に参戦
戦後不況
1922年
ファシスト党によるローマ進軍
1940年
第二次世界大戦に参戦
43年無条件降伏
1946年
王政から共和政へ

Italy

1

フォロ・ロマーノ、ポンペイ遺跡、ラヴェンナ

Roman Forum, Pompeii Ruins, Ravenna

POINT

紀元前8世紀頃には、半島北部にエトルリア人、中部にイタリア人、南部には地中海で植民活動を行うギリシア人が住んでいた。その頃、イタリア人の中のラテン人が建国した都市国家ローマを堪能する――

● ローマの盛衰

ローマは当初エトルリア系の王による王政でしたが、ラテン人貴族が王を追放し、共和政を実現しました。当時、実権を握っていた貴族で構成される元老院(げんろういん)と平民会が政争を続けていましたが、**前3世紀には貴族・平民の法的な平等が達成されます**。同じ頃、イタリア半島は統一され、反ローマ暴動を早期鎮圧できるように軍道が整備されたのもこの時代です。その後、シチリア島を獲得、地中海世界に領土拡大し、**前30年にクレオパトラ7世率いるエジプトを征服し、全地中海を内海に治めました。**

前1世紀に共和政から帝政へと形を変え、イベリア半島からメソポタミアに至るまでの最大版図を築きました。3世紀末には4人の皇帝が統治する時期もあります。さらに、首都がローマからコンスタンティノープルへ移され、結局、395年にローマ帝国は東西に分裂することになったのです。その後、西ローマ帝国*が100年ももたずに滅亡してしまうと、イタリア半島はゲルマン系国家や東ローマ帝国*の支配を受け、南部からはイスラーム勢力の脅威にさらされました。そうした中、ゲルマン系のフランク王国*が北イタリアに勢力を拡大し、ローマ教会との結びつきを強めるようになったのです。

そしてフランク王国に土地を献上されたローマ教皇は、国王カール1世に西ローマ帝国帝冠を授けてローマ教会の保護者とし、西ヨーロッパ世界を完成させ、東ローマ帝国との対立を表面化させました。

ローマ帝国の版図の変遷

ポエニ戦争までのローマ領(前264年)
ポエニ戦争終結時までの獲得(前146年)
第1回三頭政治までの獲得(前60年)
第2回三頭政治までの獲得(前43年)
ローマ帝国の最大版図
ローマの長城

ブリタニア
ゲルマニア
カスピ海
大西洋
ガリア
ウィンドボナ(ウィーン)
ドナウ川
トラキア
黒海
パルティア王国
ローマ
コンスタンティノープル
ヒスパニア
アテネ
アシア
パルミラ
シチリア
カルタゴ=ノヴァ
地中海
カルタゴ
アレクサンドリア
イェルサレム
アラビア半島
エジプト

世界史の目

フォロ・ロマーノ

ローマ共和国・帝国の政庁が置かれた場所とされ、現ローマ市内にある。ここには元老院議事堂やいくつかの神殿・凱旋門などもある。西ローマ帝国の滅亡で忘れ去られ、ルネサンス期に復元されたと言われている。中も歩けるが、隣接するカピトリーノの丘からの眺めはなかなか。コロッセオ観光のあとに歩いて行けるが、かなり広いので疲れることは間違いなし！

世界史の目

ポンペイ遺跡

イタリア南部のナポリ郊外にあるローマ遺跡。1世紀にヴェスヴィオ火山の噴火で埋没した。商店街や住宅街があり、車道には馬車のわだち、店の看板や家の中庭のモザイクなども残っていて、完全にタイムスリップできる。2014年に公開された映画『ポンペイ』はアクションとロマンを兼ね備えた愛の悲劇で、泣けるかもしれない。

世界史の目

ラヴェンナ

サン・ヴィターレ聖堂

東ゴート王国の首都が置かれたイタリア北東部の街。フランク王国が占領した際に、ローマ教皇にこの地を献上した（ローマ教皇領の起源）。また、東ローマ帝国が支配した6世紀に、ビザンツ建築様式のサン・ヴィターレ聖堂が造営された。ユスティニアヌス1世とその妻テオドラのモザイク壁画は世界史資料集にも必ず載っている。

Italy

2

ヴェローナ、中世都市、シチリア島

Verona, medieval city, Sicily

POINT

8世紀、カール1世（大帝）の時に全盛期を迎え、北イタリアも支配下に治めたフランク王国。しかし、カール1世の子が亡くなると3つに分裂。都市の繁栄により豪商を生んだ地の美しい街並みを堪能――

● イタリアの都市の繁栄

フランク王国*の分裂後、北イタリアには中部フランク（ロタール）王国ができました。しかし、間もなくカロリング王家が断絶すると、**北イタリアには諸侯（しょこう）・都市が分立し、そこに北イタリアの支配権を狙った東フランク王国（のちに神聖（しんせい）ローマ帝国）の軍が繰り返し侵入し**（イタリア政策）、混乱しました。

12世紀以降の北イタリアでは、遠隔地交易の発展とともに、自治都市を建設するコミューン運動が起こり、これらはそれぞれ領域を広げ「都市共和国」と呼ばれるようになりました。こうした都市の繁栄は各都市に豪商を生みました。ミラノのスフォルツァ家やフィレンツェのメディチ家は有名です。

半島南部では、東ローマ帝国の領土縮小により、イスラーム勢力の支配下に入るようになりました。そのため、ローマ教皇の支持を得て、北フランスにあるノルマンディー公国の騎士が南下して、この地を奪回します。そうして、1130年に両シチリア王国*が建設され、その後、ナポリ王国とシチリア王国に分裂し、**15世紀にはスペイン領に編入**されました。

14世紀のイタリア（都市共和国の乱立）

世界史の目

ヴェローナ　ジュリエットの家

ミラノとヴェネツィアを結ぶルートの中間点に位置していて、ローマ時代の円形闘技場も残っている。ここは、シェークスピアの『ロミオとジュリエット』の舞台としても知られ、両家がイタリア政策に対抗する教皇党と支持する皇帝党で対立して、2人の愛の邪魔をする。ジュリエットの家だったとされる邸宅があり、中庭にあるジュリエットの像に触るのが定番！

世界史の目

中世都市　ヴェネツィア

「最後の晩餐」とゴシック式の大聖堂と有名ブランドの本店のあるミラノ、「アドリア海の女王」と呼ばれ、サン・マルコ寺院とガラス細工で有名なヴェネツィア、フィレンツェから日帰りできるロマネスク式の大聖堂と斜塔で有名なピサは観光地としても行く価値あり。ちなみに、雨のヴェネツィアは街がよく水没するので、夏に訪れることをお勧めする。

世界史の目

シチリア島　パレルモ

ギリシア人の植民都市だった島東部のシラクサ、フェニキアの植民都市でイスラーム教徒・ノルマン人が支配したパレルモの2都市が有名。パレルモ発ジェノヴァ行きの列車は、メッシーナ海峡を渡り、トンネルではなく列車を車両ごとに切って船に乗せて、半島側に着いたら再び接続して出発するという世界でも珍しい運行をしている。

Italy

3

アッシジ、フィレンツェ、ジェノヴァ

Assisi, Florence, Genoa

POINT

11世紀には、厳格さを求める修道院・修道会が各地に作られ、ローマ教皇の権威も拡大する。聖人や聖遺物への信仰、聖地巡礼の流行を背景に起きた十字軍からルネサンスまでのダイナミズムに身を投じる――

●十字軍〜ルネサンスとその後

聖地巡礼の流行も背景に十字軍*遠征が始まり、**ローマ教皇権は13世紀初めに絶頂期**を迎えました。しかし、**十字軍の失敗**に加え、フランス人教皇が7代続いたり、教*皇庁がローマとアヴィニヨンの2つに置かれたりと**教皇権は衰退を余儀なくされました**。

14〜15世紀、イスラーム勢力の圧迫を受けてバルカン半島から古典文化学者が亡命してきたこと、東方貿易で古典文化の刺激を受けていたこと、都市の繁栄で大商人が文化人を保護したことなどの様々な要因が重なり、**〈キリスト教による束縛から解放された人間中心主義（ヒューマニズム）〉のもと、"ルネサンス（古典文芸復興）"が始まりました**。メディチ*家の保護下のフィレンツェで始まり、ローマ教皇の後ろ盾でローマへ、最後にヴェネツィアへと広がりました。しかし、イタリア戦争での荒廃や対抗宗教改革（カトリックの巻き返し）・大航海時代などの要因により、ルネサンスはイタリアから北方へと移っていきました。

15世紀末から始まったフランスと神聖（しんせい）ローマ帝国とのイタリア戦争で半島の北半分は戦場に、19世紀になると一時的にナポレオンがイタリア王に、兄ジョセフがナポリ王になりました。**ウィーン会*議では北イタリアの一部がオーストリアに併合され、両シチリア王国にブルボン家が復活しました**。こうして、イタリアは再びバラバラになっていったのです。

十字軍遠征とイタリアの諸都市

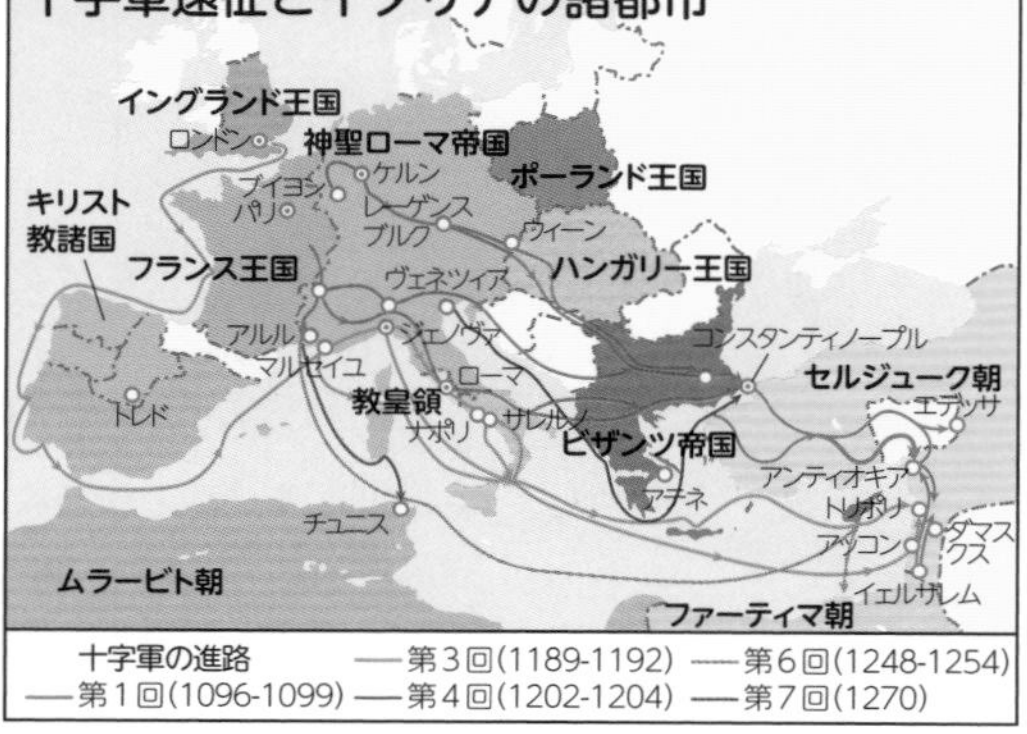

十字軍の進路　—第1回(1096-1099)　—第3回(1189-1192)　—第4回(1202-1204)　—第6回(1248-1254)　—第7回(1270)

世界史の目

アッシジ

サン・フランチェスコ聖堂

13世紀に設立された托鉢修道会であるフランチェスコ会の創設者聖フランチェスコの出身地で、キリスト教の巡礼地でもある。小高い丘の上に悠々とそびえる修道院が美しい。ちなみに、ここから北へ100kmほど行ったところにミニ国家サンマリノがある。山岳地帯の国で中世時代の城塞が残る。

世界史の目

フィレンツェ **街並み**

もとはエトルリア人の作った街でのちにローマ植民都市となった。ミケランジェロ広場からみるフィレンツェの旧市街の全景、ヴェッキオ橋のライトアップは個人的に大好き。美術館・教会など観光地は挙げればきりがない。世界史講師として大好きな街だが、石畳なのでスーツケースをホテルまで引っ張っていくのがとにかく難儀だ。

世界史の目

ジェノヴァ **街並み**

イタリア北西部の港町。北東部のヴェネツィアとはライバルだが、観光地としては大いに負けていると思われる。しかし、ジェノヴァの〈新しい街路群とパラッツォ（宮殿）群〉は世界遺産に登録されている。ちなみに、この街の出身なのがコロンブスである。イタリアには大航海を支援してくれる国がなかったため、彼はスペイン王国の支援を受けた。

Italy

4

ヴェネツィア広場、南イタリア、ヴァチカン市国

Piazza Venezia, Vatican City, Southern Italy

POINT

19世紀に入り、トリノに遷都し立憲君主政を敷くサルデーニャ王国が台頭。19世紀半ばに王となったヴィットーリオ＝エマヌエーレ2世が首相にカヴールを登用し、イタリア統一に乗り出した時代の波を感じる――

●イタリア王国の歩み

ヴィットーリオ＝エマヌエーレ2世によるイタリア統一は、最終的にはオーストリアに併合されていたイタリア北部、フランス軍が駐屯していた中部イタリアとローマ教皇領、千人隊*（赤シャツ隊）を率いたガリバルディが占領し献上されたシチリア島と南イタリアを支配下に入れて1861年に達成されました。

その後、**イタリアはドイツ・オーストリアとともに三国同盟を結びますが、第一次世界大戦では裏切って戦勝国になります。**しかし、イギリスとの密約は守られず、さらに戦後不況に陥る中、ファシズムが台頭します。そのリーダーとなったのがファシスト党党首ムッソリーニ。彼が1922年のローマ進軍において国王の支持を得てファシズム政権を成立させます。

1929年にはイタリア統一以来、教皇領を占領されたことで対立していたローマ教皇と和解し、ローマ教皇の国家＝ヴァチカン市国の独立を承認しました。

その後、**第二次世界大戦ではナチス＝ドイツと手を結びますが、最終的に敗北し、ムッソリーニは失脚、無条件降伏**しました。戦後の1946年には人民投票で**王政は廃止され共和政が樹立**されました。しかし、工業地帯や観光地の多い北部から中部にかけてと、農業を中心とする資源が乏しい南部との**経済格差は激しく、EC（のちのEU）になってからも経済問題は山積**されていて、治安の悪化は観光的にも問題視されています。

1861年のイタリアとガリバルディ、エマヌエーレ2世の進路

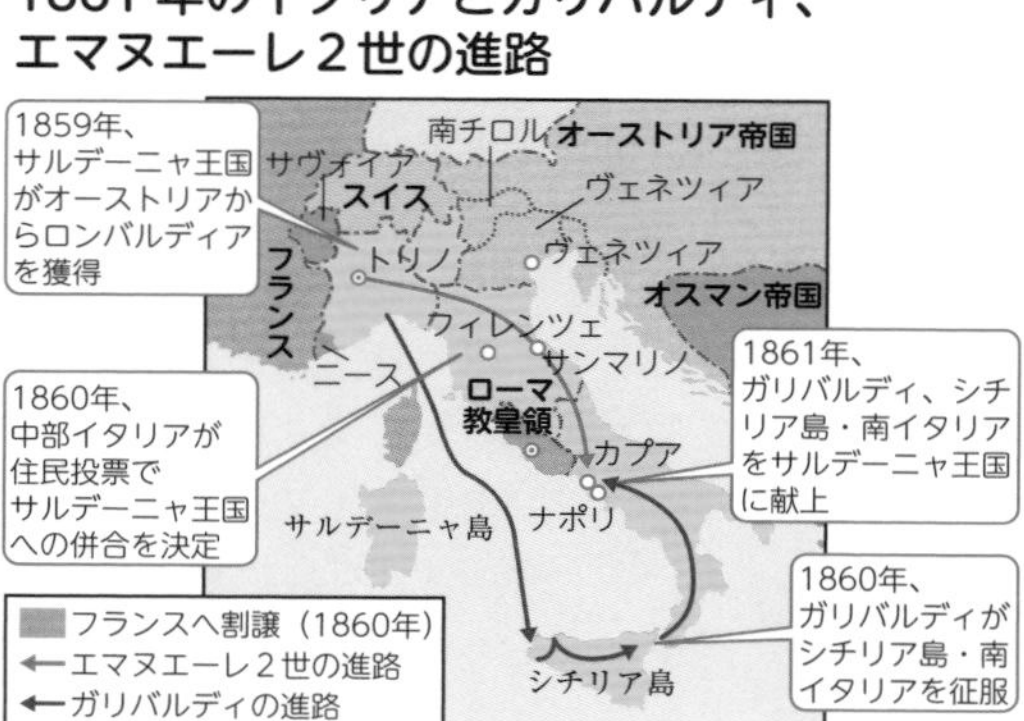

世界史の目

ヴィットーリオ＝エマヌエーレ２世記念堂

ティベル川東岸のヴェネツィア広場南にある。広場西にはムッソリーニの演説で有名なバルコニーを持つヴェネツィア宮殿がある。ヴェネツィア広場から北へ歩けば、トレビの泉やスペイン広場にたどり着く。ローマは地下鉄の路線数が少ないので、観光の基本は歩き。山あり谷ありなのでかなり疲労することを覚悟！

世界史の目

南イタリア

アルベロベッロ

半島の南東部にはあまり知られていないが世界遺産に登録されている見るべき建造物が多い。トゥルッリで有名なアルベロベッロ、洞窟住居で街ができているマテーラ、フリードリヒ２世が造営した八角形の城のカステル・デル・モンテは見る価値のあるところだ。しかし、交通手段がなく、レンタカーか貸し切りタクシーを使う必要があるので不便ではある。

世界史の目

ヴァチカン市国

サン・ピエトロ大聖堂

ローマ市内の西。国境がないのでローマ市との境を探すのはナンセンス(笑)。北側のヴァチカン宮殿から『最後の審判』で有名なシスティーナ礼拝堂へ、さらにサン・ピエトロ大聖堂へとつながる。ティベル川を渡ったところから一直線に撮影できるサン・ピエトロ大聖堂のライトアップは驚くほど美しい。

トルコの歴史

東西諸文化による〝世界史ミルフィーユの地〟

1 ハットゥシャ遺跡（ボアズキョイ近郊） Hattusa P.64

2 エフェソス Ephesus P.66

3 カッパドキア Cappadocia P.68

4 コンスタンティノープル Constantinople P.70

前17世紀半ば	●ヒッタイト王国の成立
前1200年頃	●トロイア戦争
前6世紀半ば	●ペルシア帝国の支配 ＊エーゲ海沿いはギリシア人による植民活動
前2世紀	●古代ローマ共和国の支配
330年	●コンスタンティノープルがローマ帝国の首都となる
1054年	●東西キリスト教の完全分離 ……ギリシア（東方）正教会
13世紀初	●ラテン帝国が一時建国される

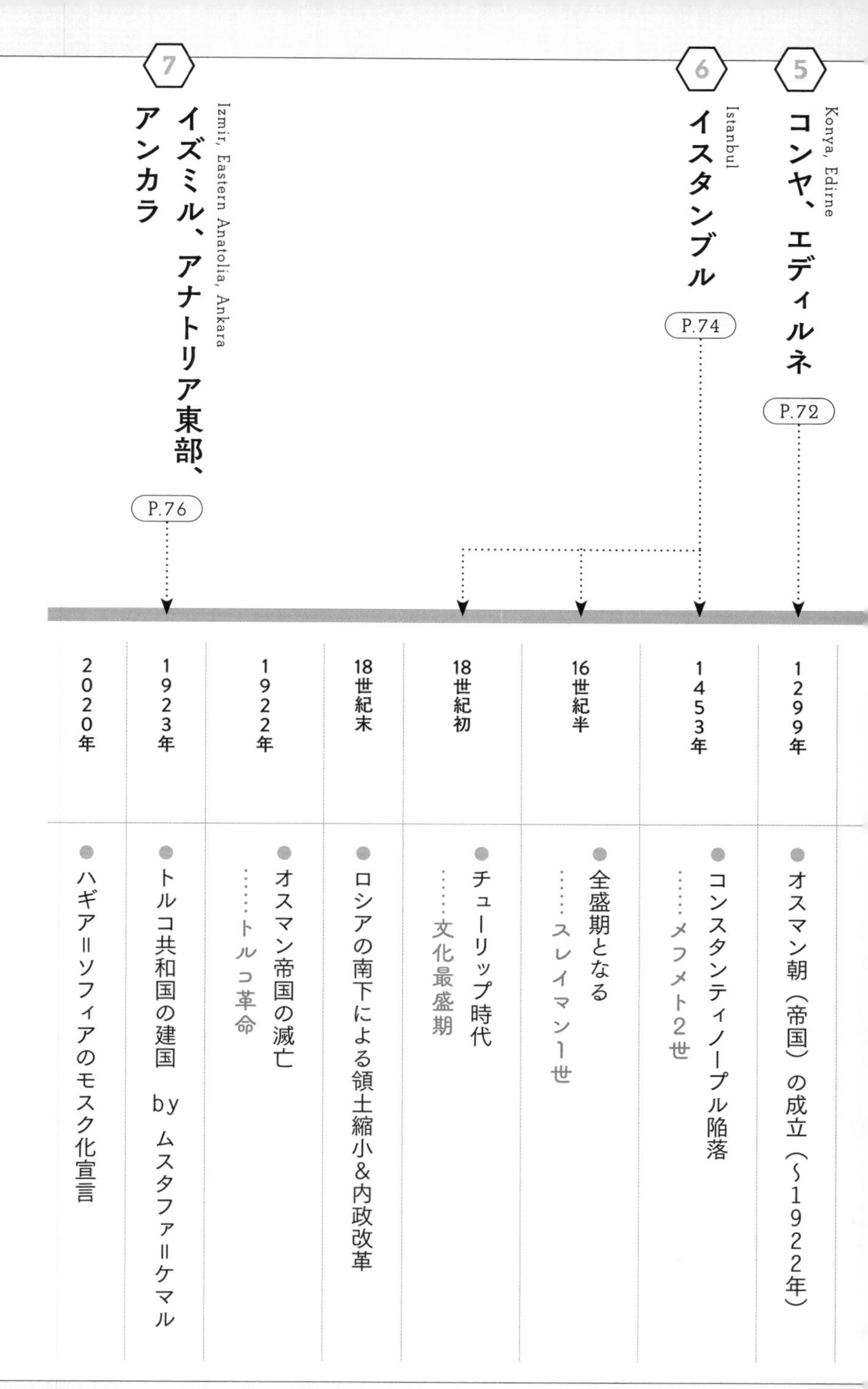
5
コンヤ、エディルネ
Konya, Edirne
P.72
6
イスタンブル
Istanbul
P.74
7
イズミル、アナトリア東部、アンカラ
Izmir, Eastern Anatolia, Ankara
P.76
1299年
オスマン朝（帝国）の成立（〜1922年）
1453年
コンスタンティノープル陥落
……メフメト2世
16世紀半
全盛期となる
……スレイマン1世
18世紀初
チューリップ時代
……文化最盛期
18世紀末
ロシアの南下による領土縮小&内政改革
1922年
オスマン帝国の滅亡
……トルコ革命
1923年
トルコ共和国の建国　by ムスタファ＝ケマル
2020年
ハギア＝ソフィアのモスク化宣言

Turkey

1

ハットゥシャ遺跡（ボアズキョイ近郊）

Hattusa

POINT

紀元前の世界で、バビロニア王国やエジプト王国を脅かした強国でありながら、突然歴史から姿を消したヒッタイト王国。未だに謎の多いかつての強国を感じる、ハットゥシャの地を踏みしめる——

● ヒッタイト王国の成立

現在の小アジア（アナトリア地方）は、トルコ共和国の領土にあたります。かつては古代文明が栄え、現在でもアジアとヨーロッパを繋ぐ地として重要な場所と考えられてきました。

＊メソポタミア文明が繁栄していた前17世紀半ば頃、この現在の小アジアにインド＝ヨーロッパ語系の**＊ヒッタイト人**が南シベリア方面から南下し、ハットゥシャ（現ボアズキョイ）を都に置いて王国を建国します。その後、ヒッタイト王国は**＊ハンムラビ法典**で有名な**＊バビロン第一王朝**を滅ぼしました。

ヒッタイト人はこの地域に初めて鉄器をもたらす一方で、馬と戦車を使って領土を拡大させました。前14世紀頃には全盛期を迎え、その後、シリアをめぐってエジプト（ラムセス2世）と対立します（前1274年：**カデシュの戦い**）。

この戦いは、世界史上で初めて公式に戦争の詳細が記された戦いで、戦後に両国で締結された条約は世界最古の国際条約と位置付けられています。この条約文は、ハットゥシャで発見されたボアズキョイ文書（楔形文字で粘土板に刻まれたもの）に記されています。そし

オリエント諸国の興亡

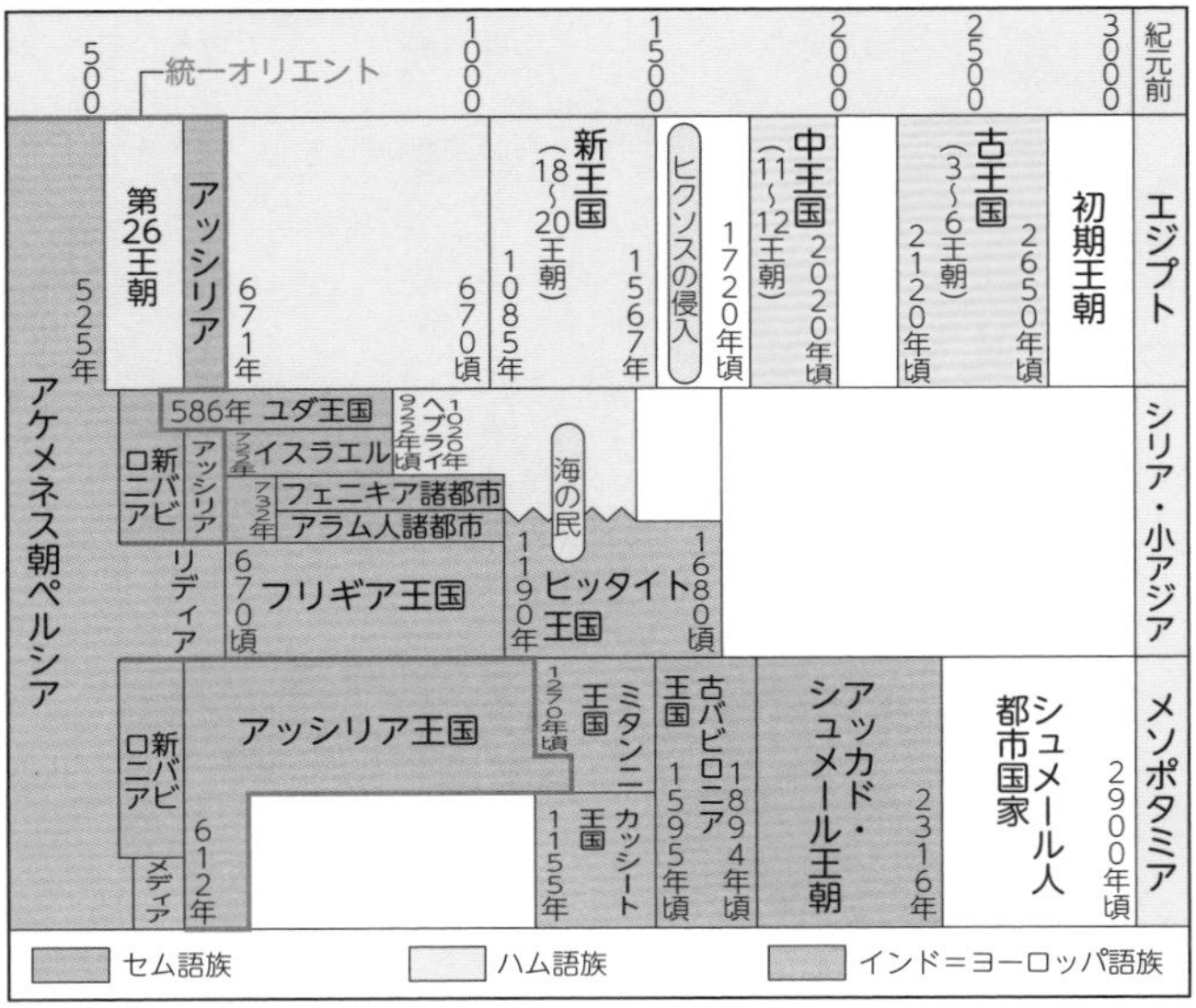

紀元前 3000 2500 2000 1500 1000 500
統一オリエント

エジプト：初期王朝／2650年頃 古王国（3〜6王朝）2120年頃／2020年頃 中王国（11〜12王朝）1720年頃／ヒクソスの侵入／1567年 新王国（18〜20王朝）1085年／670頃／671年 アッシリア／第26王朝 525年

シリア・小アジア：1680頃 ヒッタイト王国 1190年／海の民／1020年 ヘブライ王国 922年頃／586年 ユダ王国／722年 イスラエル／722年 アッシリア／フェニキア諸都市／アラム人諸都市／670頃 フリギア王国／リディア／新バビロニア

メソポタミア：2900年頃 シュメール人都市国家／2316年 アッカド・シュメール王朝／1894年頃 古バビロニア王国 1595年頃／カッシート王国 1155年／ミタンニ王国 1270年頃／アッシリア王国 612年／新バビロニア／メディア

アケメネス朝ペルシア

セム語族　ハム語族　インド＝ヨーロッパ語族

て、前12世紀に「海の民*」（東地中海の海賊）の侵入や内紛によって滅亡しました。ハットゥシャには、もともとアナトリア先住民族のハッティ人が住んでいましたが、前17世紀頃にヒッタイト王国の建国者によって征服されました（1906年、ドイツ考古学者ウィンクラーが発見）。この都市遺跡は丘陵地帯にあり、上街と下街に分かれていて、大神殿跡や獅子門などが有名です。

このハットゥシャの遺跡は、1986年にユネスコの世界遺産に登録されました。大神殿の跡は、現在見ることができるのは基礎部分だけですが、紀元前にいち早く製鉄技術を駆使して栄えた王国の壮大な姿を想像することはできます。

世界史の目

ハットゥシャ遺跡

獅子の門

トルコの首都アンカラ近郊の丘陵地帯にある古代オリエント世界を席巻したヒッタイト王国の首都遺跡。この遺跡は聖地ヤズルカヤ・上市・下市などで構成されている。大神殿にある「グリーンストーン（願いの石）」はパワーストーンとして有名。「獅子の門」は、この上市の入り口にある。スフィンクスの門・王の門もある

Turkey

2

エフェソス

Ephesus

POINT

古代世界の名場面にエフェソスの名あり。貿易の要所でもあり、聖母マリアの家もあり、宗教的に意義深い場所でもある、歴史の要（かなめ）を味わい尽くす――

● ペルシア帝国の支配

アナトリア（小アジア）は前7世紀にオリエント世界を初めて統一したアッシリア帝国*の支配に入りました。その後、リディア王国*が建国され、前6世紀半ばにペルシア帝国*（アケメネス朝ペルシア）に支配されました。このように民族が興亡している中、アナトリアの地中海沿岸地域（東地中海地域）では、人口増加による土地不足や交易拠点の確保などを背景に、ギリシア人が植民活動を開始し、多数のギリシア人ポリス（植民市）が建設されます。彼らはギリシア本土に母市を持つが、基本的には独立したポリスでした。また、これらの町には有名な文化人たちも身を寄せていました。代表的なポリスとしては、アテネと同じイオニア人が作ったミレトスやエフェソス、ハリカルナッソスなどが有名であり、まとめてイオニア植民市と呼ばれました。前500年にアケメネス朝ペルシアによる重税に耐えかねたイオニア植民市の住民が反乱を起こした際にアテネが援軍を送ったことが、あの有名なペルシア戦争のきっかけでした。特にエフェソスはアルテミス信仰で有名なポリスで、アルテミス神殿は世界の七不思議の1つとされています。この町はアレクサンドロス大王帝国から始まったヘレニズム時代に繁栄しました。ローマ支配化でキリスト教を受容、後にネストリウス派を異端と決めたエフェソス公会議*が開かれています。セルシウス図書館は世界三大図書館の1つとして有名です。

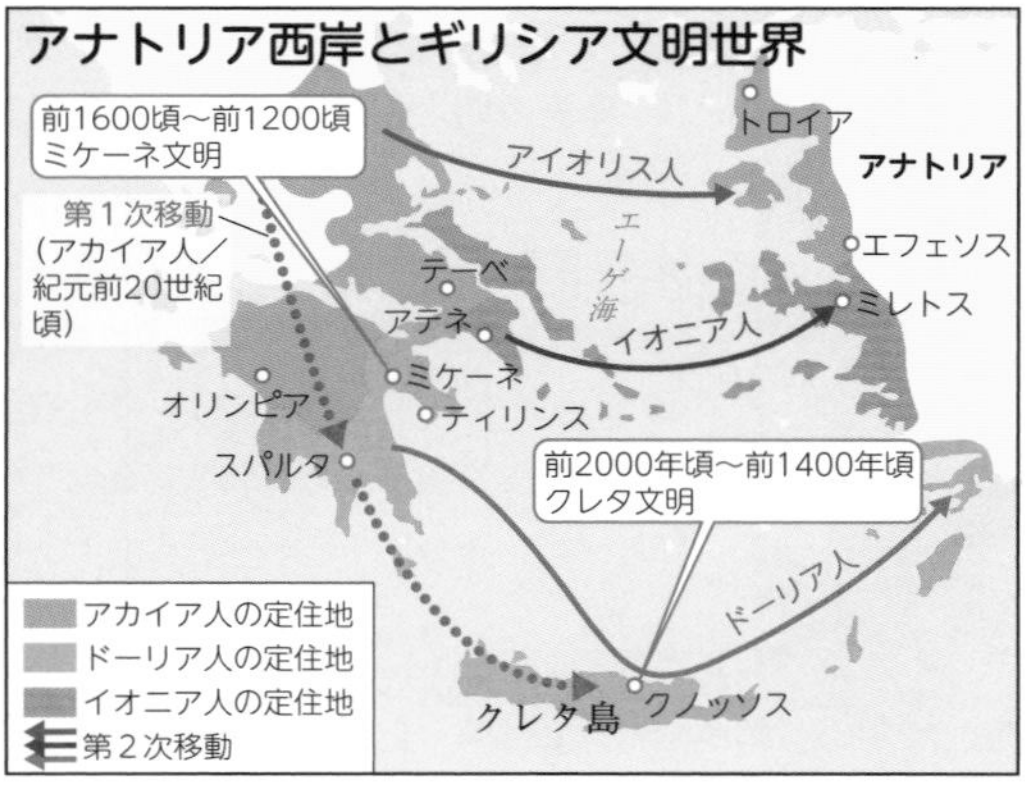

アナトリア西岸とギリシア文明世界

世界史の目

海港都市ミレトス 野外劇場

イオニア植民市の反乱の中心となったため、ペルシア軍によってあっさり鎮圧され、その際に神殿や市街地は徹底的に破壊された。ギリシア文化人として有名な哲学者タレスやアナクシマンドロス、歴史家ヘカタイオスの出身である。現在はギリシア・ローマ時代の遺跡が残されている。

世界史の目

ハリカルナッソス

マウソロス霊廟の址地

現在のボドルム。世界七不思議の1つとされたマウソロス霊廟の址地がある。中世にはヨハネ騎士団（ロードス島に拠点があった）によりボドルム城が建設された。「歴史の父」とされるギリシア人歴史家ヘロドトスの出身でもある。

世界史の目

トロイア遺跡 木馬

ギリシア＝ポリスができる以前のエーゲ文明の時代に繁栄していたとされる町。ギリシア本土のミケーネ軍の攻撃を受け、トロイアは陥落した。その際、鉄壁のトロイア城を落とすためにとった奇策が「トロイアの木馬」であった。現在、入り口にその木馬がおいてあるが、本物ではない。ドイツの考古学者シュリーマンによって発掘され、多くの財宝が出たとされる。

Turkey

3

カッパドキア

Cappadocia

POINT

立地上、交易に重要な意味を持つ場所として幅広い交通の要であったカッパドキア。重要性ゆえに侵略や略奪の対象となってきた時代の跡や、複雑に絡み合う歴史・文化・宗教を目の当たりにする――

●歴史・文化・宗教の交差点

カッパドキアは、古くはヒッタイト人の本拠地となり、アケメネス朝ペルシア時代は地元の有力者が知事（サトラップ）となり統治しました。その後はカッパドキア王国として独立、古代ローマ共和国とは友好関係を保っていましたがローマの帝政初期に属州となりました。この地域では、やわらかい石灰質である岩々に穴を掘った隠れ家的な家が多くあり、ローマによる迫害を逃れたキリスト教徒が一時隠れ住んでいたとされます。その後、392年にキリスト教が国教化されると、東ローマ帝国*の支配下において、岩窟教会がつくられるようになり、教会内にはフレスコ壁画が描かれるようになりました。その後、イスラーム教の支配になるとさらに迫害を恐れてこの地方に逃れてくる者が多くなり、多くの地下都市などが造られるようになったのです。ギョレメ野外博物館には岩窟教会やゼルベの谷のキノコ岩群、カイマクル・デリンクユなどの地下都市は有名でしょう。岩屈を一望できる気球のツアーが人気であり、カッパドキア＝気球のイメージもついています。

アケメネス朝ペルシアの版図

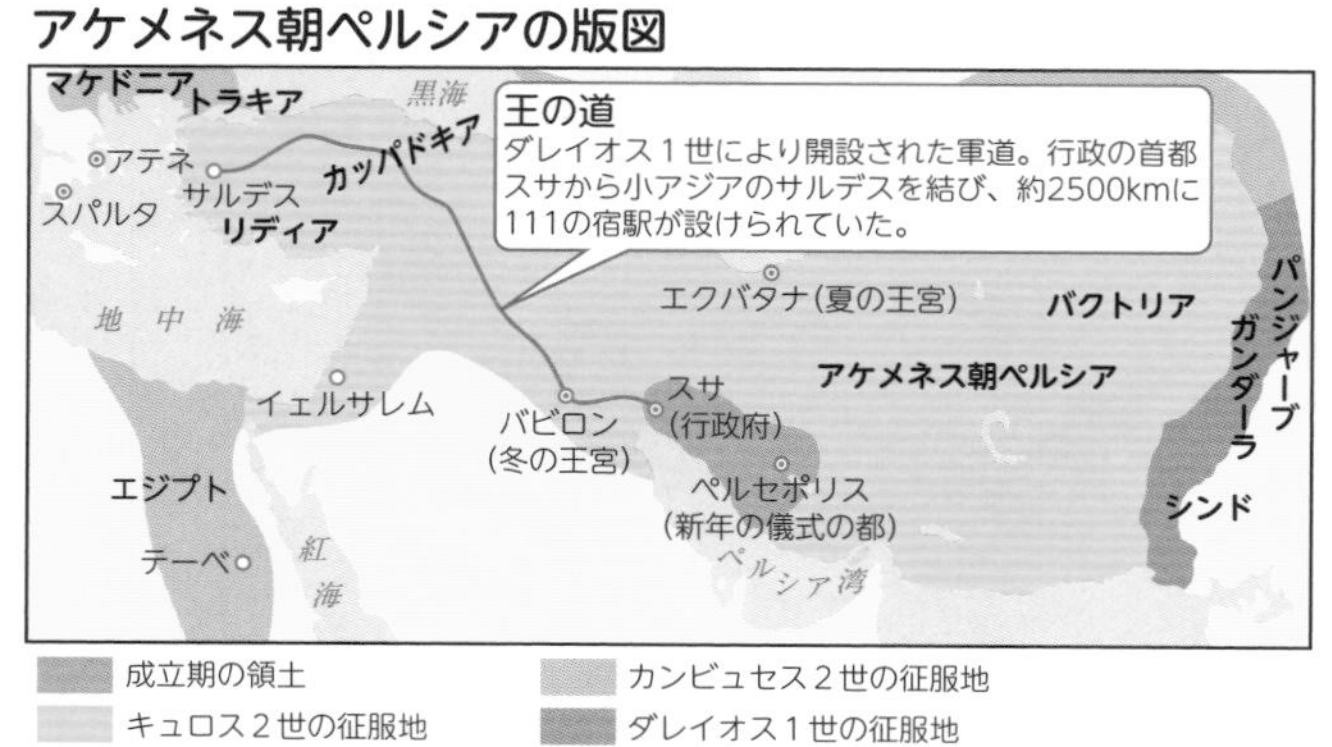

世界史の目

ギョレメ

カッパドキア地方の町で野外博物館がある。ローマ帝国やイスラーム教徒による迫害を逃れてきたキリスト教徒たちが造った岩窟教会や修道院が30ほどある。リンゴの教会・聖バルバラ教会などの室内に施された見事なフレスコ壁画が見物。東ローマ帝国時代の8～9世紀に聖像禁止令が出され、一時イコン（聖像画）が禁止されたが、その後はしっかりと保存されている。

世界史の目

カイマクルの地下都市

地下8層の都市跡。ローマ帝国に迫害された初期キリスト教徒たちが隠れ住み、イスラーム教支配下でも拡張された。近くのデリンクユの地下都市とは地下通路で繋がっているとされ、カタコンベ同様の役割を果たした。礼拝場はもちろん、食堂や食料・ワイン保管庫、学校や集会場もあり、敵の攻撃を防ぐ通路封鎖システムも備わる。

世界史の目

パムッカレ 石灰棚段丘

広大な石灰質の台地で、トルコ語で「綿の宮殿」という意味。段丘の上にヒエラポリス遺跡がある。近くにはネクロポリス（死者の町）もある。ローマ帝国の遺跡で、何度か地震で破壊され廃墟となるが、ローマの将軍アントニウスとの新婚旅行でクレオパトラも入ったと言われるローマ浴場やローマ劇場は今も健在。空港があるデニズリ郊外にあり、近くの街に温泉も出る。

Turkey

4 コンスタンティノープル

Constantinople

POINT

ギリシア正教会の中心地であり、東西の交易の要衝として栄えたコンスタンティノープル。長きにわたり歴史の中心にあり、最も重要な都市の1つとも考えられる地で、数千年の歴史に思いを馳せる——

●ビザンティン文化の中心地

ギリシア＝ポリスのメガラからの植民者が建設したビザンティオン（ビザンティウム）は、現在のイスタンブル旧市街の先端部分に位置します。2世紀末にローマの軍人皇帝に破壊されましたがまもなく再建、競馬場などが建設されました。**330年にローマ皇帝コンスタンティヌスはこの町を「コンスタンティノポリス（コンスタンティノープル）」と改名し、ローマ帝国の首都とします**（異説有り）。その息子コンスタンティヌス2世の時に最初の「ハギア＝ソフィア聖堂」が造営されました。395年にローマ帝国が東西に分裂すると、東ローマ帝国の首都、キリスト教五本山の1つとして繁栄します。のちにローマ教皇を頂点とするローマ＝カトリックと対立、ここにいるコンスタンティノープル総主教を頂点とするギリシア正教会（のちの東方正教会）が確立され、スラヴ世界へ広がりました。**現在でもギリシア正教会は東方正教会系の頂点にあり、総主教はシンボル的存在です。**イスラーム勢力から聖地イェルサレムを奪回する目的で始められた十字軍*がこの地を攻め落とす（第4回十字軍）という暴挙により、約60年間カトリックの支配（ラテン帝国）に入ったこともありました。しかし、13世紀以降は、東ローマ帝国の領土自体がコンスタンティノープル周辺地域に限られ、周囲はイスラーム教勢力であるオスマン帝国*に包囲されました。

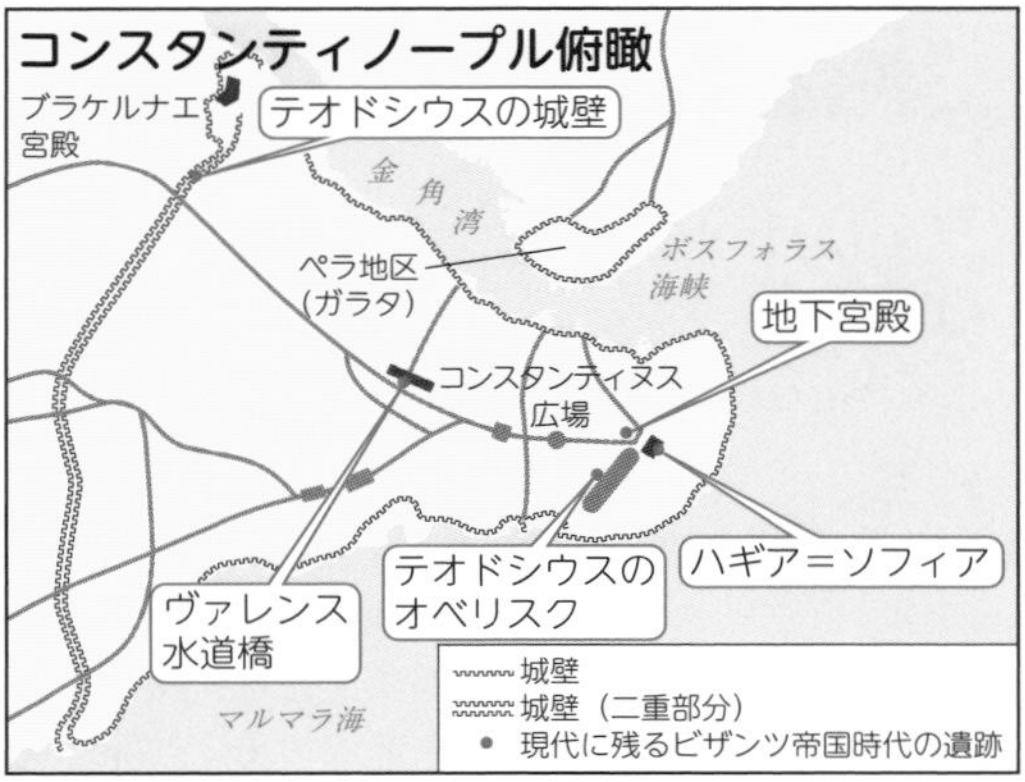

コンスタンティノープル俯瞰

ブラケルナエ宮殿
テオドシウスの城壁
金角湾
ペラ地区(ガラタ)
ボスフォラス海峡
地下宮殿
コンスタンティヌス広場
ハギア＝ソフィア
テオドシウスのオベリスク
ヴァレンス水道橋
マルマラ海
城壁
城壁（二重部分）
● 現代に残るビザンツ帝国時代の遺跡

世界史の目

ハギア＝ソフィア聖堂

トルコ名は「アヤ＝ソフィア」。何度か火事で焼失した後、6世紀半ばに東ローマ皇帝ユスティニアヌス1世が現在の形に再建した。一時ローマ＝カトリックの影響下に置かれた以外は、ギリシア正教会（東方正教会）の総本山の地位を維持した。1453年オスマン帝国占領時にモスク化→20世紀にトルコ共和国になり博物館に→2020年に再びモスク化された。

世界史の目

テオドシウスの城壁

330年以降、断続的に大城壁の造営が行われた。特に東ローマ帝国初代皇帝テオドシウス2世の時のモノが中心。コンスタンティノープルは海側に対してヨーロッパ方面の陸側（西側）の防備が弱かったので、精巧な技術で難攻不落の防衛システムを設置したらしい。しかし、1453年にメフメト２世率いるオスマン軍の大砲により破壊された。

世界史の目

地下宮殿（バシリカ・シスタン）

東ローマ帝国時代に使われた貯水場跡地。もとは柱廊に囲まれた地下集会場だったが、６世紀にユスティニアヌス帝が貯水場に作り替えた。近年ではこの地下宮殿から歩いて５分ほどの場所に新しい貯水槽が発見され、新名所となっている。この水は20キロほど離れた森から水道橋で運ばれたとされ、街には一部水路も残っている。

Turkey

5

コンヤ、エディルネ

Konya, Edirne

POINT

11世紀後半、大領土を支配したトルコ系セルジューク朝の分家として小アジアにルーム＝セルジューク朝が成立。何度も東ローマ帝国を圧迫し、かの有名な「十字軍遠征」を引き起こすきっかけを作った王朝を窺い知る――

●オスマン帝国の登場

ルーム＝セルジューク朝の首都はニカイア（現在のイズニク）。のちにアナトリア中央部にあるコンヤに遷都しました。この王朝の太守であった**オスマン＝ベイがアナトリア北東部で自立し、1299年オスマン帝国（オスマン朝）を建国**します。その後、第2代オルハン＝ベイの時に首都をブルサに置きました。現在、世界遺産となっているブルサは初代オスマンから3代ムラト1世までの墓がある古都として観光地となっています。その後、**第3代ムラト1世の時に、ヨーロッパ進出への足がかりとしてアドリアノープルを占領し「エディルネ」と改称、ここへ遷都し**ました。1389年のコソヴォの戦いではセルビア軍を撃破、1396年のニコポリスの戦いではハンガリー王率いるヨーロッパ連合軍を破り、バルカン半島をほぼ手中に収めます。しかし、1402年、突如東方から攻めてきたティムール帝国軍の攻撃を受け、1402年のアンカラの戦いで第4代バヤジット1世は捕虜となり獄死しました。**このことで一時オスマン帝国は滅亡**した形になっています。しかし、ティムール帝国の内紛・衰退やバヤジットの子**メフメト1世によるオスマン帝国の再統一などにより帝国は復活**、その孫メフメト2世の登場を待つことになります。コンスタンティノープルを首都とする東ローマ帝国は周囲をオスマン帝国に包囲されることとなり、その命も風前の灯となっていました。

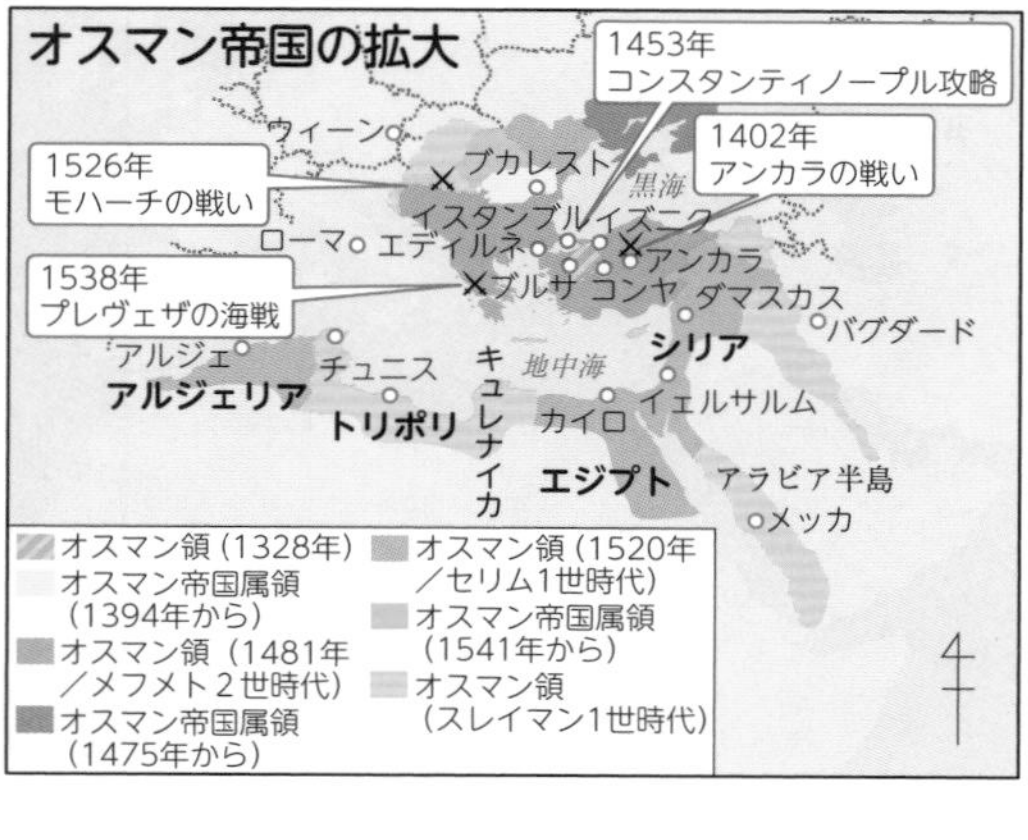

オスマン帝国の拡大

1453年 コンスタンティノープル攻略
1402年 アンカラの戦い
1526年 モハーチの戦い
1538年 プレヴェザの海戦
ウィーン
ブカレスト
黒海
イスタンブル
イズニク
ローマ
エディルネ
アンカラ
ブルサ
コンヤ
ダマスカス
バグダード
アルジェ
チュニス
シリア
アルジェリア
地中海
キュレナイカ
トリポリ
カイロ
イェルサルム
エジプト
アラビア半島
メッカ

オスマン領（1328年）
オスマン帝国属領（1394年から）
オスマン領（1481年／メフメト2世時代）
オスマン帝国属領（1475年から）
オスマン領（1520年／セリム1世時代）
オスマン帝国属領（1541年から）
オスマン領（スレイマン1世時代）

世界史の目

コンヤ 📷メヴラーナ博物館

ルーム＝セルジュークが遷都し、13世紀に最盛期を迎えた街。この頃、イスラーム神秘主義者のルーミーがこの地にメヴレヴィー教団を開いた。(「旋舞教団」と言われ、宇宙の運行を表す回転（セマー）によって神アッラーとの一体化を図るスーフィズムの一派)。彼の霊廟が宗教道場として使われたが、トルコ共和国が成立した際に解散させられた。現在は歴史文化遺産。

世界史の目

ブルサ 📷オスマン1世の棺

イスタンブルからバスで3時間ほど南にあるオスマン帝国の古都。オスマン帝国の建国者であるオスマン1世とその子オルハン1世などの棺（廟）がある。高台にある街で古都らしく、繁華街のようなやかましさはない。ケバブにヨーグルトをかけて食べる「イスケンデル・ケバブ」の発祥地でもあり、街のいたるところでその文字を目にすることができる。

世界史の目

エディルネ 📷セリミエ・モスク

ハドリアヌスが建設したため「ハドリアノポリス（アドリアノープル）」と呼ばれた。ヨーロッパ側のトラキア地方の都市で、現在のトルコ最西端。オスマン帝国占領後、第2の首都となり、14世紀半ばから約100年間首都機能が置かれた。セリミエ・モスクはスレイマン1世のお抱え建築家ミマール・スィナンの最高傑作であり、ハギア＝ソフィア聖堂より大きなドームを持つ。

Turkey

6

イスタンブル

Istanbul

POINT

オスマン帝国の第7代皇帝（スルタン）となったメフメト2世が、弱冠21歳で過去のどのイスラーム勢力も成し遂げられなかったコンスタンティノープル攻略に成功。“文化のミルフィーユ”を感じる歴史に迫る――

●オスマン帝国の発展

東西分裂から約1100年続いた東ローマ帝国を滅ぼしたメフメト2世は、占領したコンスタンティノープルを「イスタンブル」と改名。ここに首都を移し、街全体をイスラーム化します。ハギア＝ソフィア聖堂のモスク化はその一環とされています。そして、**16世紀半ばのスレイマン1世時代にオスマン帝国は全盛期を迎え**、東方ではイランのサファヴィー朝からイラク南部を奪い、西方ではハンガリー征服後に第一次ウィーン包囲を敢行。**1538年のプレヴェザの戦いでスペイン・ヴェネツィア・ローマ教皇連合軍を破り、地中海の制海権を握ります。**一方、彼は国内の様々な制度を整備したことから「立法者（カーヌーニー）」とも呼ばれます。しかし、17世紀後半の第二次ウィーン包囲失敗後、ハンガリーを失うと、次第にオーストリア・ロシアの領土的圧迫を受けるようになりました。**18世紀に入ると、「チューリップ時代」と呼ばれた文化全盛期を迎えます。**その後、18世紀後半からロシアの南下政策で領土を縮小させながらも、西洋近代化（タンジマート〈恩恵改革〉）やミドハト憲法発布による立憲君主制の試みなどが行われますが、帝国衰退の流れを止めることはできませんでした。こうして、1908年に専制政治に終止符を打つための開明的な軍人らによる青年トルコ革命が起こり、停止されていたミドハト憲法が復活し、立憲君主制への道を歩み出しますが…。

世界史の目

トプカプ宮殿

メフメト２世がコンスタンティノープルを占領した際に新宮殿として造営した。旧市街の先端にあり、ボスフォラス海峡・金角湾の眺めがいい。この宮殿内には「ハレム」と呼ばれる女性だけの居住空間があり、皇帝不在の時にはこのハレムで女性たちの主導権争いが行われるなど、現在ではドラマ化までされている。

世界史の目

スレイマン＝モスク

スレイマン１世の命で、イスタンブルの高台に建築家ミマール・スィナンが設計監督を務め、７年の歳月をかけ、1557年に完成した。イズニク製のタイルや内部のステンドグラスなどは有名。このモスクは、学校や病院やトルコ風呂・バザールなども備えた複合施設であった。

世界史の目

スルタン・アフメト＝モスク

世界で最も美しいモスクとされる。17世紀初めの建造。白地に青色のイズニク製タイルが内部に数万枚装飾され、幻想的な様子から「ブルー・モスク」と呼ばれる。手違い（異説有り）で、尖塔（ミナレット）が６本ありモスクとしては珍しい。ボスフォラス海峡から臨むアジア側の高台にある、エルドアン大統領のために造られたモスクは、これをまねて尖塔を６本にした。

Turkey

7

イズミル、アナトリア東部、アンカラ

Izmir, Eastern Anatolia, Ankara

POINT

1908年の青年トルコ革命（立憲革命）に乗じて、ロシアの支援でブルガリアが独立。パン＝ゲルマン主義を掲げるオーストリアがそれに反発し、「ヨーロッパの火薬庫」となったバルカン半島の歴史を繙く――

●オスマン帝国の終焉

1914年のサラエヴォ事件を発端に第一次世界大戦が勃発すると、**オスマン帝国は反ロシアの観点からドイツ・オーストリアの同盟国側で参戦するも敗北**します。1920年の敗戦条約（セーヴル条約）では、西アジア（現在のシリア・イラク・ヨルダン・パレスティナなど）を失う一方でイスタンブル以外のヨーロッパ側の領土とイズミルは占領されました。大戦前の3分の1まで領土を減らすことに加え、多くの不平等条約を結ばされました。こうした中、**1920年にトルコ大国民議会を開いてセーヴル条約を拒否、イズミルを占領していたギリシア軍を撃破した軍人のムスタファ＝ケマルが台頭**します。反オスマン勢力を味方につけたケマルは1922年にイスタンブルを占領してオスマン帝国を滅亡させ、翌23年に連合軍とローザンヌ条約を結び、トラキア（ヨーロッパ側のトルコ領）やアナトリア東部を回復、不平等条約撤廃などを勝ち取って独立を守りました。その後、**ケマルはトルコ共和国成立を宣言し、首都をアンカラとして、初代大統領となります。**カリフ制廃止やイスラーム教の非国教化などの政教分離、一夫多妻制廃止、女性参政権付与などの女性解放、アラビア文字を廃止してローマ文字を採用する文字改革など多くの近代化を行いました。1934年には議会から「アタテュルク（父なるトルコ）」という尊称を受け、今でもトルコ国民の英雄です。

トルコ革命の流れ

オスマン帝国
1918年　第一次世界大戦で敗戦
1919年　ギリシア＝トルコ戦争が勃発
1920年　ゼーヴル条約を締結
・ボスフォラス、ダーダネルス両海峡の解放
・ヨーロッパの領土を失う

トルコ革命
1920年
ムスタファ＝ケマルがアンカラ政府を成立させる
1922年
アンカラ政府がギリシア軍を駆逐
1923年
ローザンヌ条約を締結
・セーヴル条約破棄
・イズミルやトラキアなどの領土を回復
・軍備制限や治外法権を撤廃
→トルコ共和国成立

1922年
スルタン制を廃止
オスマン帝国滅亡！

1924年
カリフ制を廃止
・トルコ共和国憲法発布
→以降西欧化、近代化政策（女性解放、文字改革、神秘主義教団の解散などを進める）

世界史の目

ペルガマ遺跡

トルコ西部の小アジアの古代都市。ヘレニズム時代のペルガモン王国の首都があった街。トルコ第3の都市イズミル（古代ギリシア人植民市だった）の北にある。イズミルは、第一次世界大戦でギリシア軍が一時占領後、ケマル＝パシャ率いるトルコ国民軍が奪回している。

世界史の目

アナトリア東部

ネムルート山

奇石群で多くの観光客に人気のあるカッパドキア地方はアナトリア高原の中央部にあり、その東側を指す。8〜9m近い巨大像で有名なネムルート山や絨毯で有名なヴァン湖、ノアの箱舟がたどり着いたという伝説を持つ火山アララト山は有名。クルド人居住地であることから監視は厳しい。

世界史の目

アンカラ　アタテュルク廟

現在のトルコ共和国の首都。アタテュルク廟（トルコ共和国建国者ケマル＝パシャの墓）とアナトリア文明博物館、アンカラ考古学博物館くらいで見どころは少ないが、2019年に再開したイスタンブルとを結ぶアンカラ・エクスプレス（寝台列車）を是非試して欲しい。イスタンブルにできた海峡トンネルを通ることで話題となっている。

エジプトの歴史

これを見ずに死ぬことはできない、5000年のナイルの賜(たまもの)の国

1

- **ギザ** Giza P.80
- **ルクソール** Luxor P.80
- **テル・エル・アマルナ** Tell el-Amarna P.80

2

- **アレクサンドリア** Alexandria P.82
- **デンデラ、オールド・カイロ** Dendaera, Old Cairo P.82

前3000年頃	メネス王がエジプトを統一し、初代国王となる
前27世紀頃	古王国始まる
前21世紀頃	中王国始まる
前16世紀頃	新王国始まる
前331年	アレクサンドロス大王がアレクサンドリアを建設
前30年	プトレマイオス朝エジプトがローマによって征服される
7世紀初め	イスラーム勢力の支配下に入る

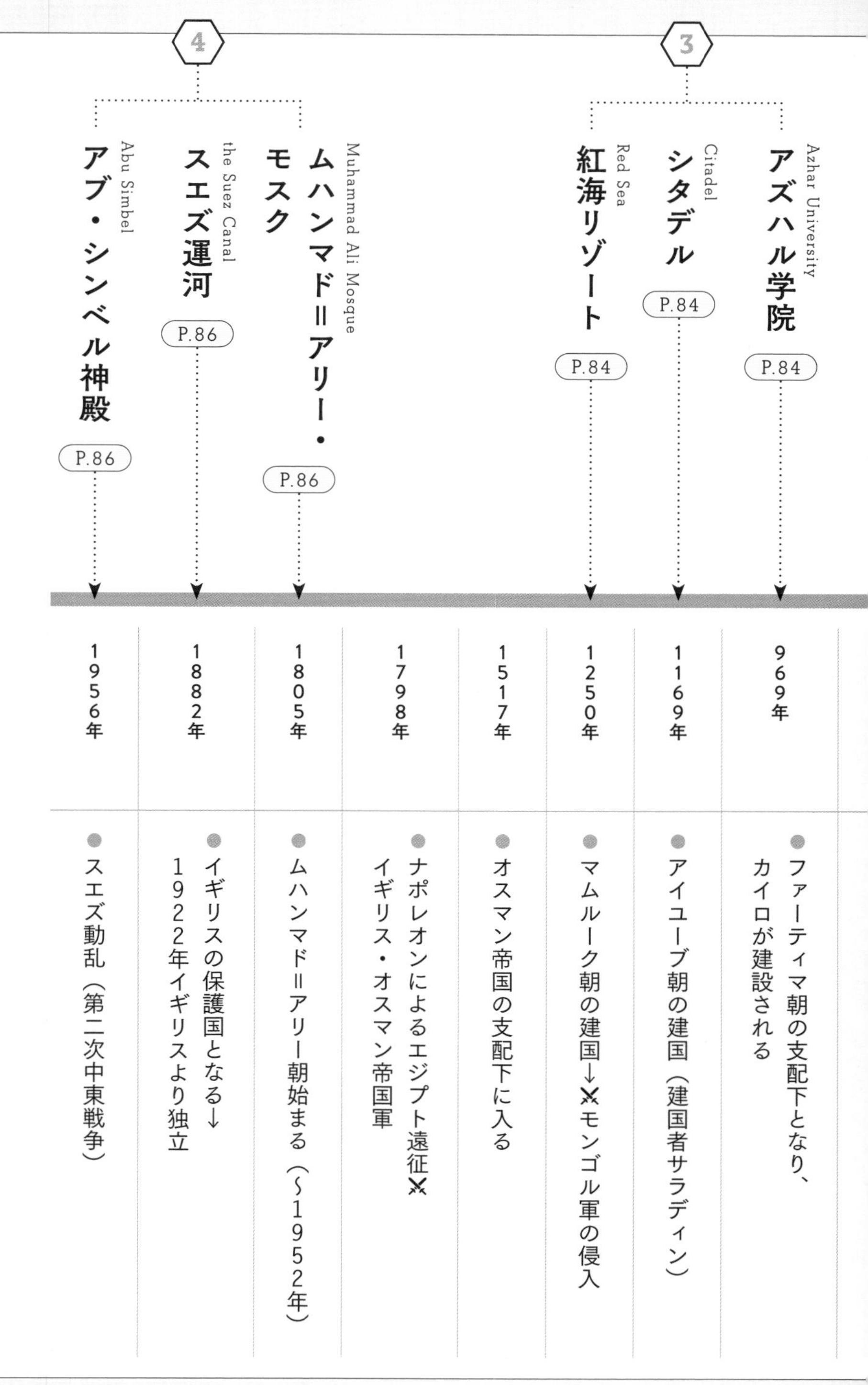
3
アズハル学院
Azhar University
P.84
シタデル
Citadel
P.84
紅海リゾート
Red Sea
P.84
4
ムハンマド＝アリー・モスク
Muhammad Ali Mosque
P.86
スエズ運河
the Suez Canal
P.86
アブ・シンベル神殿
Abu Simbel
P.86
969年
ファーティマ朝の支配下となり、カイロが建設される
1169年
アイユーブ朝の建国（建国者サラディン）
1250年
マムルーク朝の建国→⚔モンゴル軍の侵入
1517年
オスマン帝国の支配下に入る
1798年
ナポレオンによるエジプト遠征⚔イギリス・オスマン帝国軍
1805年
ムハンマド＝アリー朝始まる（〜1952年）
1882年
イギリスの保護国となる→1922年イギリスより独立
1956年
スエズ動乱（第二次中東戦争）

Egypt

1

ギザ、ルクソール、テル・エル・アマルナ

Giza, Luxor, Tell el-Amarna

POINT

今から5000年くらい前に、ナイル川流域が統一されてできたエジプト王国。古王国→中王国→新王国と3000年弱続き、紀元前の時代に世界の中心をなした王朝の空気を吸う——

●エジプト王国の発展と衰退

古王国の時代はピラミッド時代と言われ、クフ・カフラー（スフィンクスがある）・メンカウラー王の三大ピラミッドはナイルデルタの南端のギザ地区にあります。中王国の時代は、ナイル川中流域のテーベに遷都しました。テーベの都市神アモンは、エジプトの最高神で、全知全能の神とされる太陽神ラーと結合してアモン＝ラー神となり、長い間信仰されました。しかし、メソポタミアからやってきたヒクソス人に、一時支配されてしまいます。

ヒクソス人を追放して成立した新王国の時代に古代エジプトは絶頂期を迎え、トトメス3世の時にシリアからスーダンまでの最大版図になりました。しかし、アモン＝ラーの神官団が強大化して政治に介入するのを排除するために世界初の宗教改革が行われます。アメンホテプ4世です。**アトン神を唯一神とし、自らの名前を「イクナートン」と改名、都もテーベからテル＝エル＝アマルナへ遷都し、権力を国王に集中**させます。しかし、急激な変革や自然災害などが相まって失敗、彼の死で再びアモン＝ラーを中心とする多神教が復活しました。彼の妃がネフェルティティで、後継者になったのがツタンカーメン王です。**前13世紀に登場したラムセス2世は強大な王権を復活させ、領土を拡大し、のちに「征服王」とも呼ばれました。**シリア遠征でヒッタイト人と戦い、世界史上初の講和条約を結んでいます。以降、衰退しました。

エジプト新王国時代の版図と主な遺跡

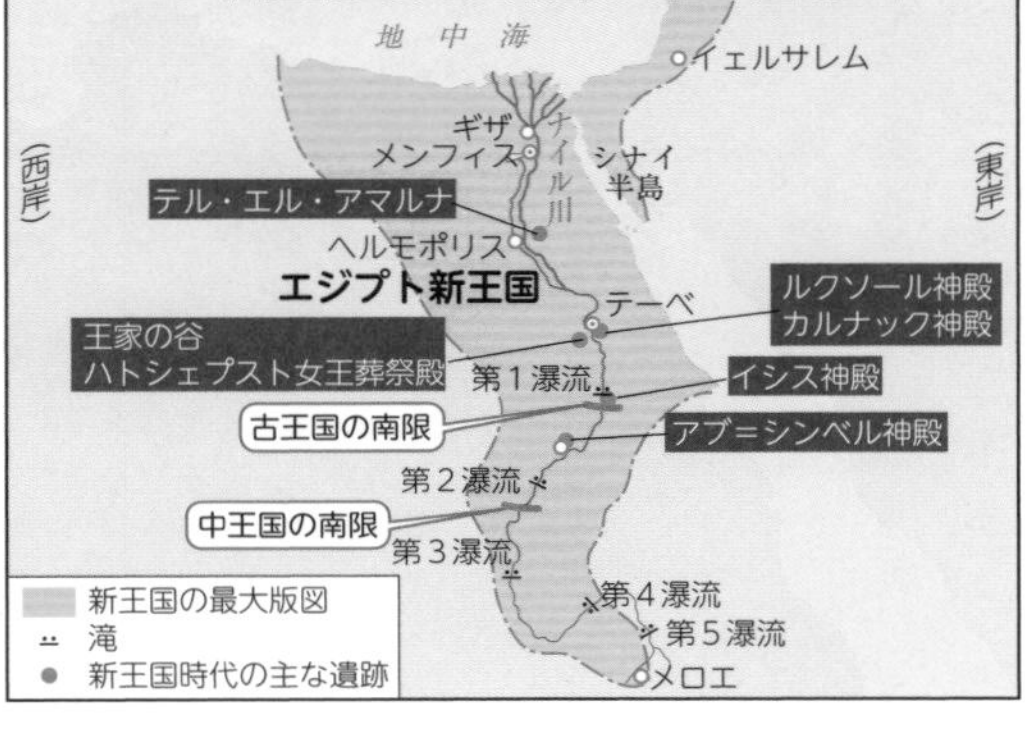

地中海
イェルサレム
ギザ
メンフィス
ナイル川
シナイ半島
（西岸）
（東岸）
テル・エル・アマルナ
ヘルモポリス
エジプト新王国
テーベ
ルクソール神殿
カルナック神殿
王家の谷
ハトシェプスト女王葬祭殿
第1瀑流
イシス神殿
古王国の南限
アブ＝シンベル神殿
第2瀑流
中王国の南限
第3瀑流
第4瀑流
第5瀑流
メロエ
新王国の最大版図
滝
新王国時代の主な遺跡

世界史の目

ギザ 📷ピラミッド

ナイル西岸にあり、エジプトの現在の首都カイロの対岸の都市。ダムができたことによって川幅が狭くなり、ナイル川とピラミッドのある砂漠の間にできた街である。ピラミッドは、ギザの南にあるサッカラやダフシュールにもより古いピラミッドが残されている。今、ピラミッド地区は大開発中で、観光も大きく様変わりしつつある。

世界史の目

ルクソール 📷ルクソール神殿

昔の呼称が「テーベ」である。西岸にツタンカーメンの墓で有名な「王家の谷」やトトメス３世の継母ハトシェプスト葬祭殿などがある。東岸にはカルナック神殿（アモン大神殿）やルクソール神殿があり、この街と上流のアスワンを結ぶ３泊３日のナイル川クルーズが観光の大きな目玉になっている。近年は朝の気球遊覧もはやっている。

世界史の目

テル＝エル＝アマルナ

カイロとルクソールのちょうど中間あたりにある都市。アメンホテプ４世がアトン神のために造った街で、当時は「アケトアテン（アテンの地平線）」と呼ばれた。この時代の一連の改革や新傾向な芸術をアマルナ改革・アマルナ美術と呼んでいる。メソポタミアとの交流がわかる外交書簡が発見され、「アマルナ文書」と呼ばれている。

Egypt

2

アレクサンドリア、デンデラ、オールド・カイロ

Alexandria, Dendaera, Old Cairo

POINT

新王国滅亡後、オリエント世界を統一したアッシリア、アケメネス朝ペルシアの支配下に入ったエジプト。その後、ペルシア軍を破りエジプトを訪れ、「ファラオ」の称号を得たアレクサンドロス大王が建設した「アレクサンドリア」を堪能――

●アレクサンドリアの歴史

この町は、アレクサンドロス大王*の没後にエジプトに成立したプトレマイオス朝*エジプトの首都として栄えました。ここには「ムセイオン」*と呼ばれる研究所が造営され、ヘレニズム文化における学問の中心地となりました。この王朝の最後の王だったのがクレオパトラ7世です。彼女はローマの将軍カエサルと結婚しましたが、彼の死後はローマと対立。ローマの将軍アントニウスを味方につけましたが、**前31年のアクティウムの海戦でローマ軍に敗れて自殺し、プトレマイオス朝は滅亡**しました。

前30年にローマに征服されたエジプトにはキリスト教が広がります。アレクサンドリアはキリスト教の五本山の1つとされました。エジプトにはローマで異端とされた単性派（のちのコプト教）が伝わり、現在でもエジプト人口の1割がキリスト教徒とされています。ローマが東西分裂したのちには、東ローマ帝国の領域に入りましたが、7世紀初めに成立したイスラーム教が教団国家を設立し、領土拡大を図り、**シリア・エジプトはイスラーム勢力の支配下に入りま**した。

古代のアレクサンドリア

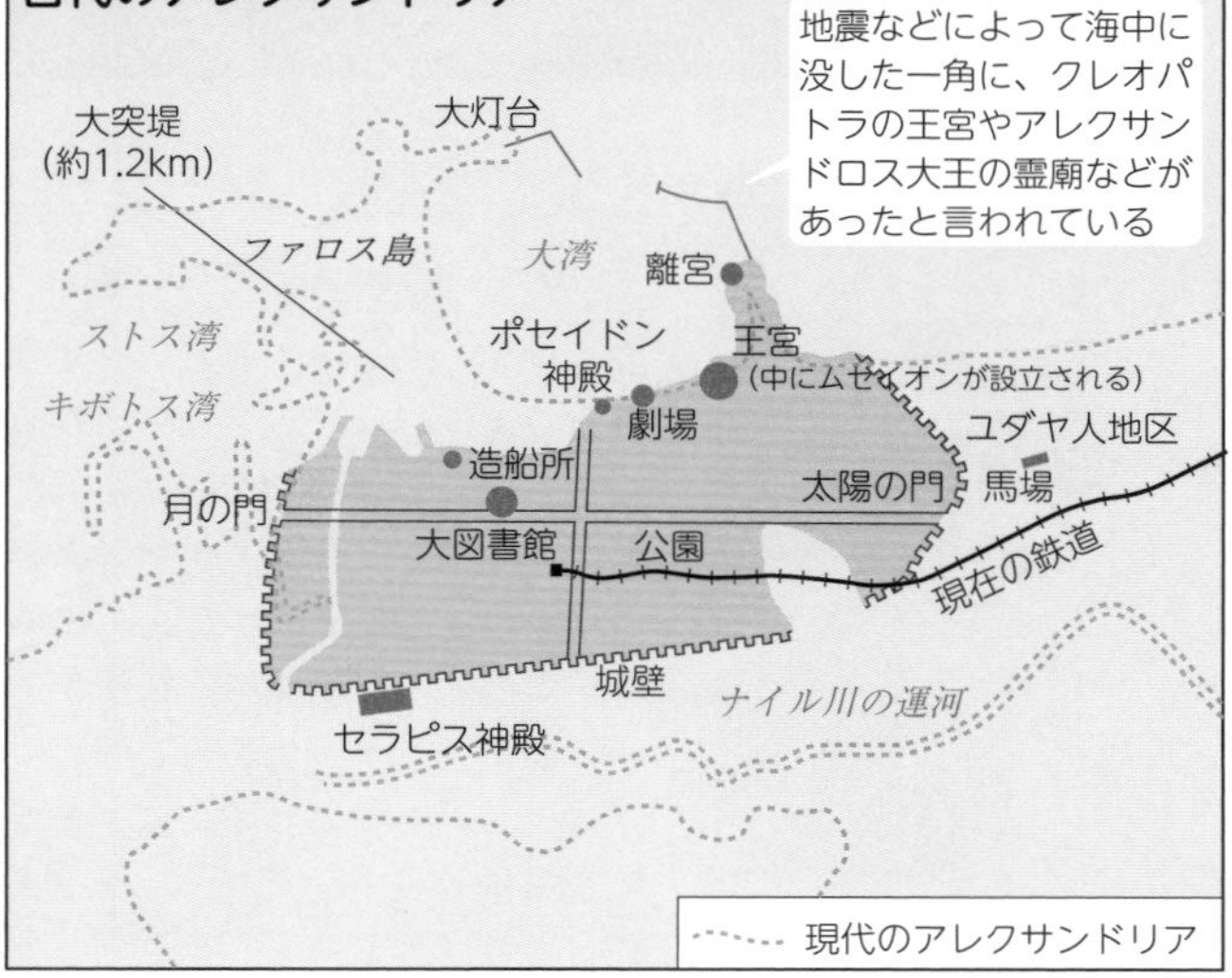

世界史の目

アレクサンドリア

カイトベイ要塞

ナイル川のデルタ河口にあるヘレニズム世界最大の都市。世界七不思議の1つ「ファロスの灯台」があったとされる。クレオパトラ関連の建造物も多い。ヘレニズム時代を再現した大図書館や、ウニが食べられるアブキール港など観光ポイントはあるが、冬は天気が悪いことが多く夏の観光をオススメしたい。

世界史の目

デンデラ

ハトホル神殿壁画

ルクソールから北に60㎞のところにある街。2時間弱で行けるので車をチャーターしての日帰り観光ができる。ここにはクレオパトラとその子カエサリオン（カエサルとの子。左から2番目）の壁画が掘られていることで有名なハトホル神殿がある。この神殿を中心とするデンデラ神殿複合体が造られた街である。

世界史の目

オールド・カイロ

聖ゲオルギウス教会

コプト教や東方正教会などの古い教会や博物館、ローマ時代の要塞跡などがあるキリスト教地区と、カイロができる以前のアラブ人の軍営都市であったフスタートなどの歴史の深い地区。ダウンタウンとは地下鉄で結ばれ交通の便は悪くない。イスラーム教ではないエジプトの姿を知るのに大切な街である。

Egypt

3

アズハル学院、シタデル、紅海リゾート

Azhar University, Citadel, Red Sea

POINT

10世紀半ばに北アフリカから侵攻してきたファーティマ朝がカイロを建設し、そこに世界最古の大学とされるアズハル学院が設立される。その後、イスラーム文化の中心として大繁栄したカイロを散策――

● オスマン帝国の支配下へ

12世紀に建国されたアイユーブ朝*の建国者サラディンは、十字軍が建国したイェルサレム王国を破り、聖地イェルサレムを奪回しました。これに対して行われた第3回十字軍との戦いでも勝利をおさめたものの、キリスト教の捕虜の返還やキリスト教徒の巡礼を認めるなど、寛容な姿勢を貫いた王として有名です。13世紀にトルコ人奴隷（マムルーク）によって建国されたマムルーク朝*では、紅海からアラビア海そしてインド洋にかけて、カーリミー商人によるダウ*船交易が栄え、エジプトに富をもたらすも、大航海時代に入りポルトガルがアジアに進出すると、アラビア海の制海権は奪われ、経済的に衰退していきました。

16世紀初め、オスマン帝国*がマムルーク朝を滅ぼしてエジプトを支配すると、エジプトは、オスマン帝国全体を支える穀物供給地として重要な役割を持つようになりました。さらに、スエズ地峡から紅海・アラビア海へ抜けるルートが注目されるようになり、エジプトの重要性は増していきました。

そのようなタイミングで、**イギリスのインドへの航路遮断を狙った軍人ナポレオンがエジプト遠征を**仕掛けます。しかし、オスマン皇帝によって派遣されたアルバニア人傭兵隊長の**ムハンマド＝アリーがこれを撃退、以降、彼はエジプト総督となり、19世紀半ばには事実上独立を成功させま**した。

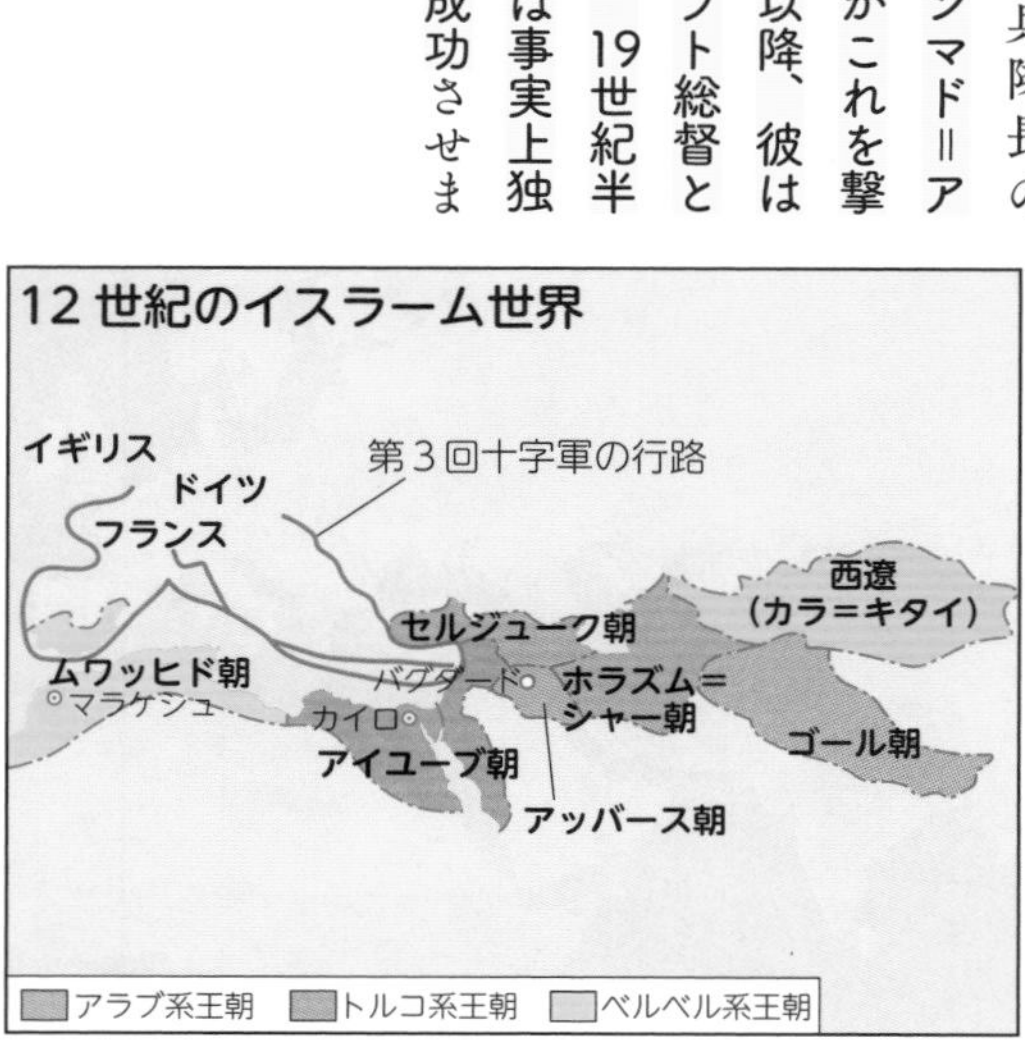

12世紀のイスラーム世界

イギリス
ドイツ
フランス
第3回十字軍の行路
西遼（カラ＝キタイ）
セルジューク朝
ムワッヒド朝
マラケシュ
バグダード
ホラズム＝シャー朝
カイロ
アイユーブ朝
ゴール朝
アッバース朝
アラブ系王朝
トルコ系王朝
ベルベル系王朝

世界史の目

アズハル学院（カイロ中心部）

現在までイスラーム神学・法学の最高権威であるとともに、世界最古の教育機関の1つである。20世紀に大学が設立された。世俗的な最高大学はカイロ大学であるのに対し、イスラーム教的な最高峰がアズハル学院である。近くに「ハン・ハリーリ」というお土産街があるので、そこで、買い物をするのもいいだろう。

世界史の目

シタデル

「サラディンのシタデル（要塞）」と呼ばれる。オリジナルは12世紀後半に建設され、次のマムルーク朝の時代に修築された。カイロで最も眺めのよい丘陵地にあり、周辺にはファーティマ朝時代の城壁も残る。実はこの丘陵地の石灰岩はピラミッドで使用されているのと同じもので、ある意味興味深い。

世界史の目

紅海リゾート

「モーセの十戒」で有名なシナイ山のあるシナイ半島の紅海沿岸はサンゴ礁が美しいリゾート地。ダバブには日本人観光客が多い。ロシア人とウクライナ人の観光客が多いシャルム・エル・シェイクのホテルは一連の紛争で同じホテルに宿泊させないような配慮をしているらしい。遺跡観光とリゾートを組み合わせたいなら紅海西岸のリゾート地フルガダなどがオススメ。

Egypt

4

ムハンマド＝アリー・モスク、スエズ運河、アブ・シンベル神殿

Muhammad Ali Mosque, the Suez Canal, Abu Simbel

POINT

1860年代の綿花価格高騰により経済的な大繁栄がもたらされたエジプト。しかし70年代の世界的不況により財政難に陥り、イギリスの保護国へ。脱植民地への歩みと反植民地主義への影響を学ぶ——

●植民地化と脱植民地の時代

シナイ半島の西端にスエズ運河が開通すると、ますます世界経済におけるエジプトの重要性が増していきました。しかし、1870年代の世界的な不況も相まって財政難に陥ると、エジプト政府は保有するスエズ運河会社の株をイギリスに売却してしまいます。これを機にイギリスによるエジプト進出が始まり、1881年に起きた**ウラービー運動**（反専制・反英）の鎮圧後、イギリスの保護国となりました。

第一次世界大戦後の1922年に独立に成功しましたが、スエズ運河とスーダンはイギリスとの共同管理となるなど、イギリスの影響が強く残っていました。そうした中、第二次世界大戦後の1952年に自由将校団（ナギブ・ナセルら青年将校）による**エジプト革命**が起き、約5000年続いた王政は終焉、〝エジプト共和国〟が成立しました。

まもなく大統領となったナセルはアラブ民族主義と社会主義を掲げてソ連に傾倒していきました。こうした中、1956年にアスワン・ハイダム建築融資を米英に拒否されたことで、スエズ運河を国有化し通行税を建築費に充てようとしました。こうして始まったのが**スエズ動乱**（第二次中東戦争）です。結果的にはエジプトを攻めた英仏・イスラエル軍が撤退することでナセルの名声は高まり、世界における反植民地主義に強い影響を与えることとなりました。

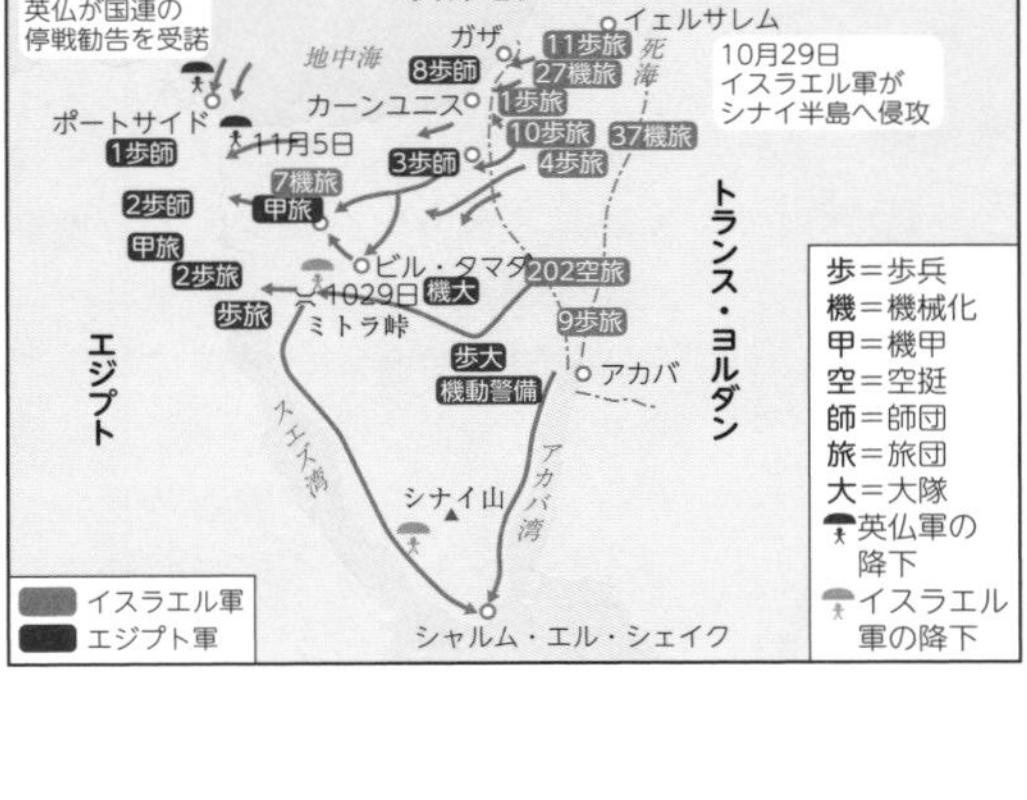

スエズ動乱（第2次中東戦争）の戦況

11月6日
英仏が国連の停戦勧告を受諾
10月29日
イスラエル軍がシナイ半島へ侵攻
11月5日
10月29日
テルアビブ　イスラエル　イェルサレム　ガザ　カーンユニス　ポートサイド　ビル・タマダ　ミトラ峠　アカバ　シナイ山　シャルム・エル・シェイク　地中海　死海　スエズ湾　アカバ湾　エジプト　トランス・ヨルダン
11歩旅　27機旅　8歩師　1歩旅　10歩旅　37機旅　3歩師　4歩旅　1歩師　2歩師　7機旅　甲旅　2歩旅　歩旅　機大　202空旅　9歩旅　歩大　機動警備

歩＝歩兵
機＝機械化
甲＝機甲
空＝空挺
師＝師団
旅＝旅団
大＝大隊
英仏軍の降下
イスラエル軍の降下
イスラエル軍
エジプト軍

世界史の目

ムハンマド＝アリー・モスク

シタデルの最も高いところにあるトルコ式のモスク。とんがった尖塔に丸屋根はイスタンブルにあるスルタン・アフメト＝モスク（通称ブルーモスク）をまねたとされている。カイロで最も眺めのよい観光地で、空気が澄んでいる時には遠くにピラミッドを臨むことができる。下からのアングルでも絵になる写真が撮れるモスクである。

世界史の目

スエズ運河

ヨーロッパからインドへの航路が大航海時代（アフリカ南端まわり）の3分の2の距離になることで注目されるようになった。現在は新スエズ運河もでき、エジプトの重要な国家財源となっている。北のポートサイド周辺には外国資本が誘致され、南のスエズは昔ながらの魚市場が残っている。現在、カイロとスエズ運河の間の都市開発が進んでいる。

世界史の目

アブ・シンベル神殿

アスワン・ハイダムによりせき止められたことで大きな湖（ナセル湖）ができ、これによって多くの古代遺跡が埋没した。ユネスコによって埋没を免れ、その姿を再現したのがラムセス2世の造ったアブ・シンベル神殿である。この神殿のLight Upはその目で見て欲しい。アスワン・ハイダムは、電力供給が主な目的で造られたが、ダム自体も観光地となっている。

中国の歴史

真ん中が〝華〟、これが東アジア文化圏を生みだした強国

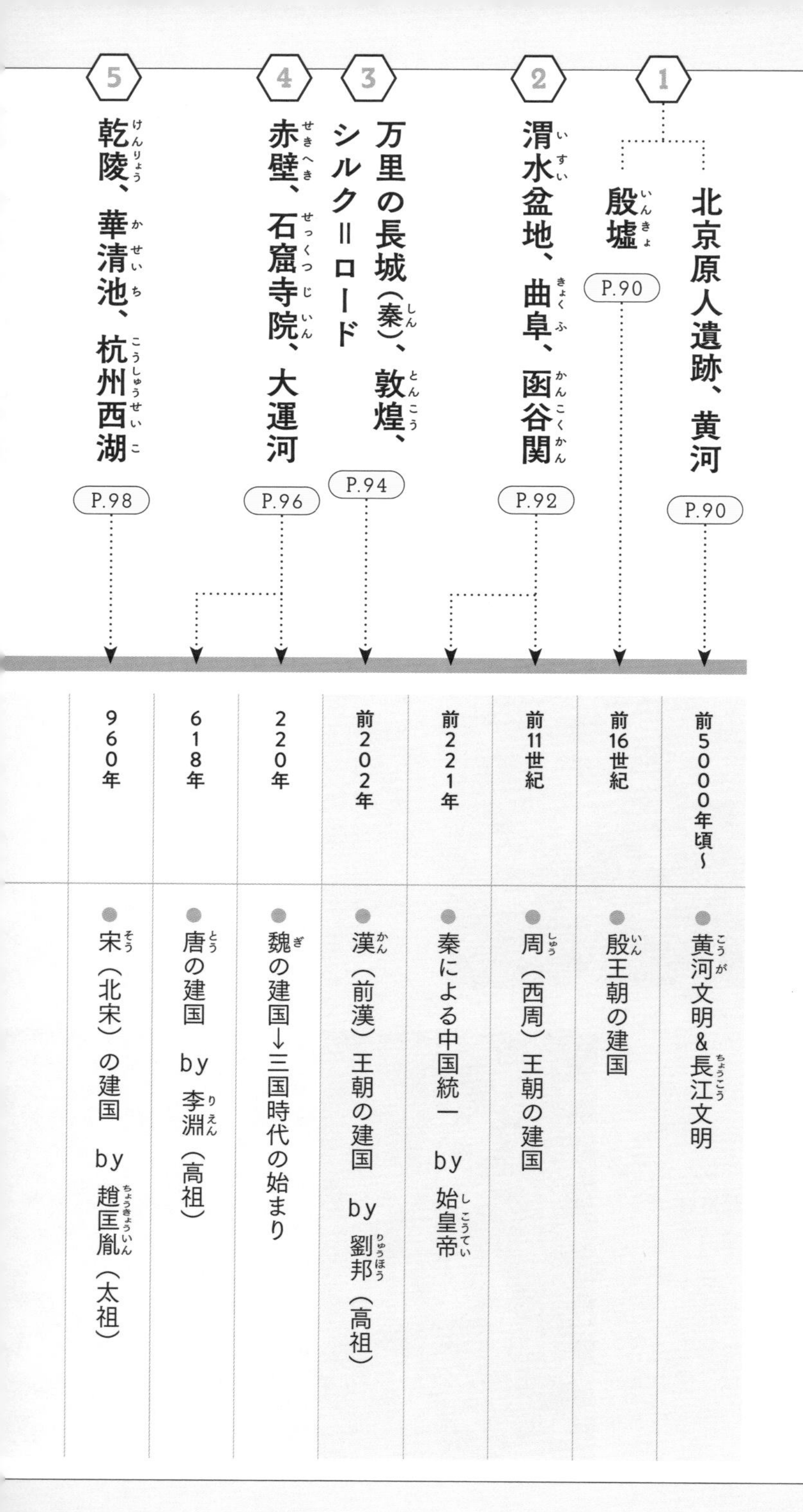

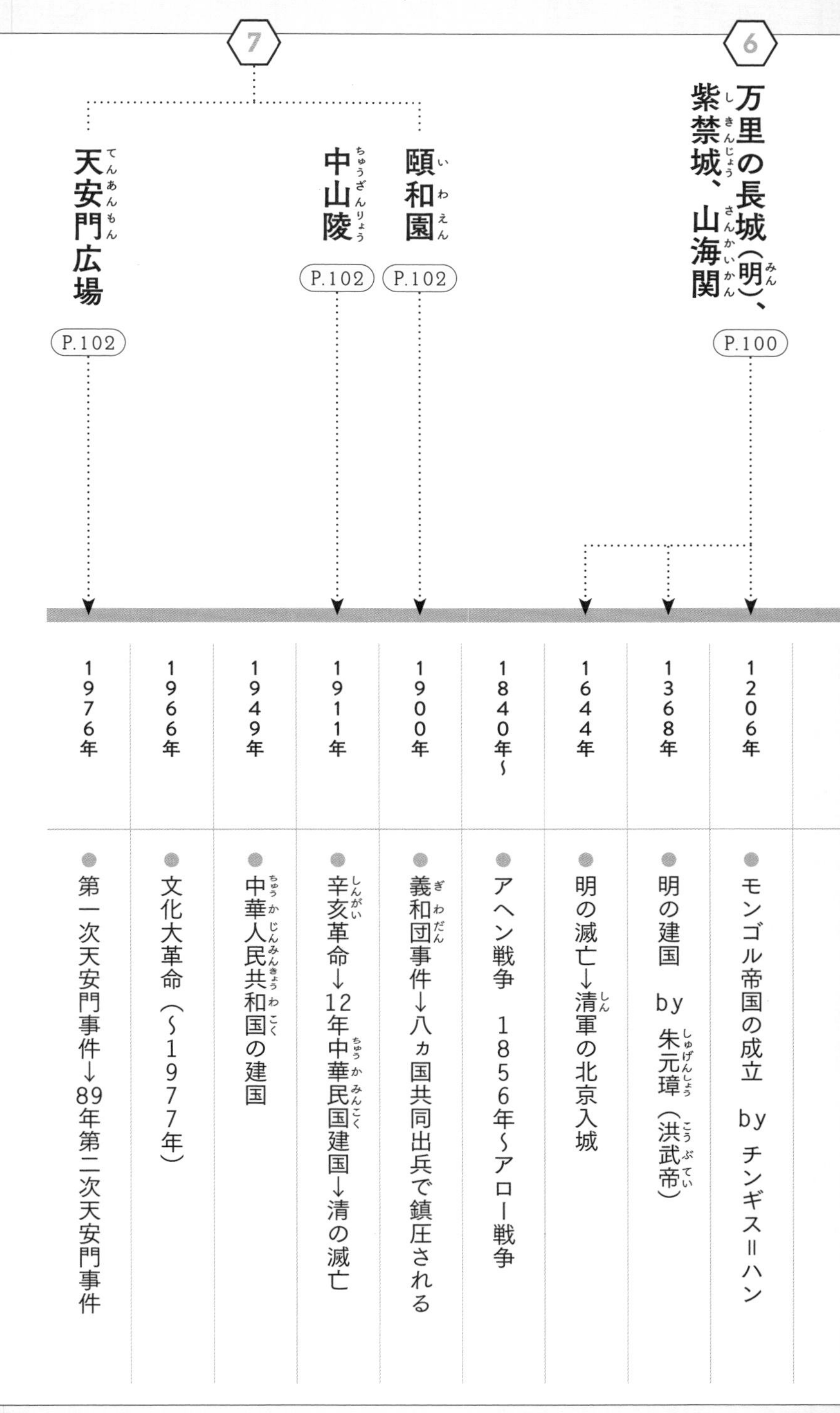
6
万里の長城(明)、紫禁城、山海関
P.100
7
頤和園
P.102
中山陵
P.102
天安門広場
P.102
1206年
モンゴル帝国の成立 by チンギス＝ハン
1368年
明の建国 by 朱元璋（洪武帝）
1644年
明の滅亡↓清軍の北京入城
1840年～
アヘン戦争 1856年～アロー戦争
1900年
義和団事件↓八ヵ国共同出兵で鎮圧される
1911年
辛亥革命↓12年中華民国建国↓清の滅亡
1949年
中華人民共和国の建国
1966年
文化大革命（～1977年）
1976年
第一次天安門事件↓89年第二次天安門事件

China

1

北京原人遺跡、黄河、殷墟

POINT

中国の先史は、旧石器時代からさかのぼると、火や言語を使用したとされる北京原人や、新人に分類される周口店上洞人から始まる。古代中国文明である黄河文明と長江文明から中国の歴史に触れる――

●黄河文明～戦国時代

黄河文明*の前半は中流域で繁栄した仰韶（いんしょう）文化（彩文土器を使用）、後半は下流域で繁栄した竜山（りゅうざん）文化（黒陶（こくとう）を使用、邑〔村〕の集合体が出現）と呼ばれています。また、近年注目されている長江文明は、麦栽培を中心とした黄河文明とは異なり、稲作中心の文明で、河姆渡（かぼと）遺跡や三星堆文化が有名です。

黄河文明の終わりに、8人の伝説的帝王とされる〝三皇五帝〟（〝皇帝〟の由来）の時代があり、その最後の舜（しゅん）の後継者となった禹（う）という人物が中国最古の夏（か）王朝を建国しました。河南省の二里頭遺跡が夏王朝の時代のモノではないかとも言われています。その後、前16世紀に夏王朝を滅ぼし、殷（いん）王朝が建国されました。後期に置かれた首都は河南省安陽市にあり、その遺跡が殷墟と呼ばれています。この時代には鉄はなく青銅器文明でした。絶対的な王が漢字の基となった甲骨文字を使用した占いで神意を問う政治をする神権政治が行われていました。しかし、前11世紀頃、暴君として名を残す紂王を討った武王が周王朝を建国することになりました。

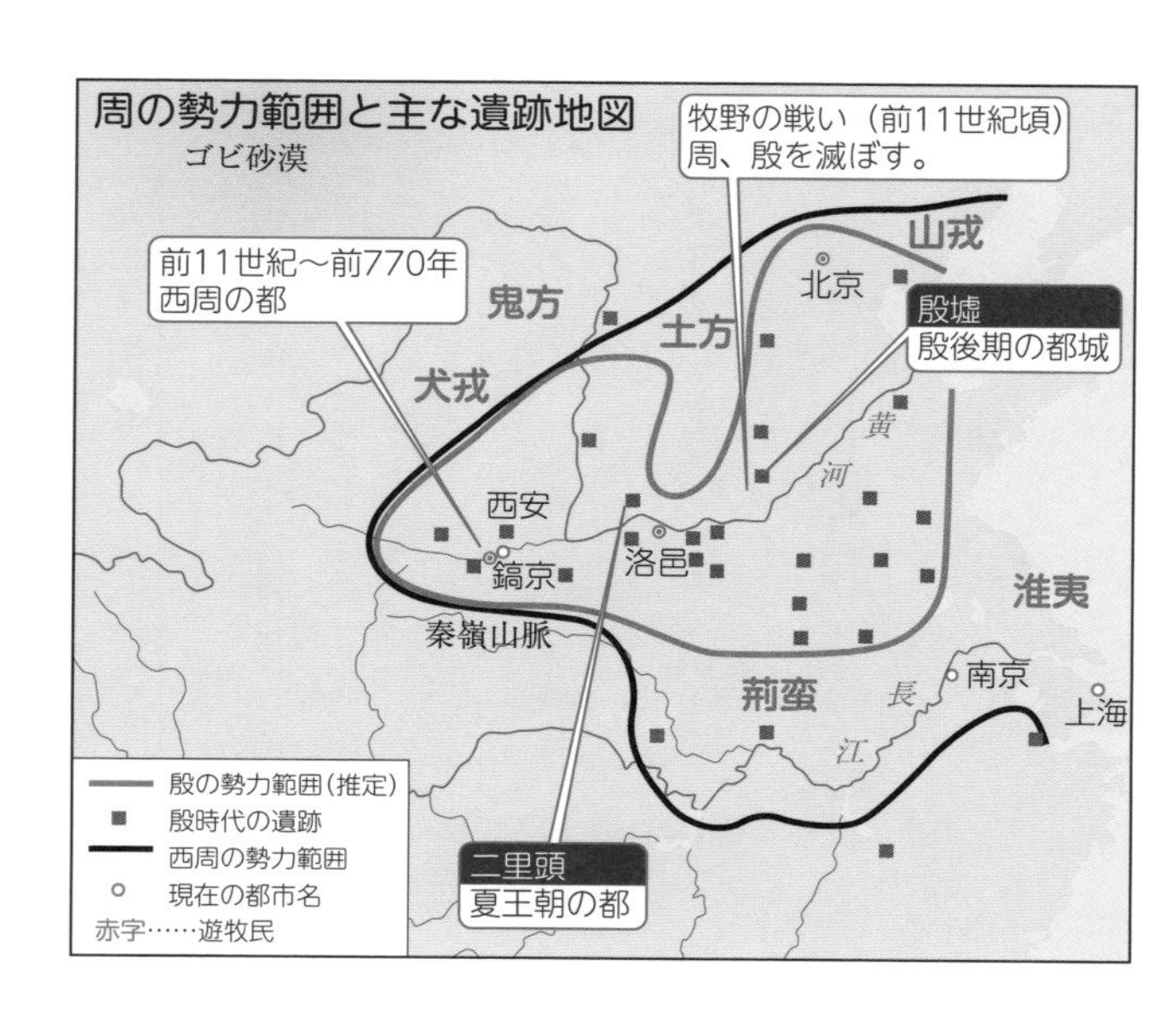

世界史の目

北京原人遺跡（周口店）

周口店は北京郊外にある村。約25万年前に北京原人が住んでいたと思われる"猿人洞"を歩くことができる。興味深いのは、そこにある竜骨山の山頂に位置するところに、現代人と同じ体質特徴を持つ新人である周口店上洞人の骨が発見されたこと。つまり、住みやすいところというのは、何十万年経っても同じだということだろう。

世界史の目

黄河

全長約5500kmの川で、長江よりは短いが高低差があるため、氾濫が起こりやすい。チベット高原を源流とし、７つの省と２つの自治区を通って、最終的に渤海に流れ注ぐ。中流域にオルドス・ループ（黄河屈曲部）と呼ばれるところが黄土高原になっていて、有名な黄砂はここから飛んでくる。西から来る渭水と合流する地点に多くの文明が生まれた。

世界史の目

殷墟

20世紀初めに、甲骨片が発見されたことを契機に、発掘作業が始まり、のちに殷後期の首都大邑商の跡であることがわかった。薬屋で購入した竜骨（漢方薬の１つ）に文字が書かれていたこと、その出所が殷墟であったことがことの発端だとされるが真偽は不明。4500年前のモノとは感じないくらいにキレイに観光地化されてしまい、残念ながら趣には欠ける。

China

2

渭水盆地、曲阜、函谷関

POINT

「革命」には、有徳者が徳を失った王を討つ〝放伐〟と前王が有徳者に政権を譲る〝禅譲〟の2種類がある。中国史では〝放伐〟での王朝交代が多く、まさに放伐で建国された殷、そして周の行末を見る――

●周王朝（西周と春秋時代・戦国時代）の足跡

前11世紀、黄河支流の渭水盆地を中心に周王朝が建国されました。周辺の支配者を諸侯とし、軍役や貢納の義務を負わせて土地の支配を任せる〝封建制〟を採用しました。しかし、前770年に西方から異民族が侵入し、都・鎬京が攻略され副都であった洛邑へ遷都しました。遷都以前を〝西周〟、それ以降を〝東周〟と呼びます。この時期、**技術の発達で農業生産が向上、青銅貨幣の流通で商工業も発展し、中国文化圏が拡大しました。**これにより**地方の諸侯の力が増大、王室の勢力は衰え、戦乱の世に突入します。**また、諸子百家*と呼ばれる思想家たちが登場し、老子を祖とする道家、孔子を祖とする儒家や法律万能主義の法家などが生まれました。

東周前半は〝春秋時代〟、後半は〝戦国時代〟と言います。前半は〝春秋の五覇〟という有力諸侯が周王室の権威の下、覇権を争いました。後半は〝戦国の七雄〟とされた諸侯が公然と王を名乗り、周の滅亡後は函谷関という強固な守りを持つ秦が他の6国を滅ぼします。**前221年に中国は秦王政の下、悲願の統一を果たしました。**

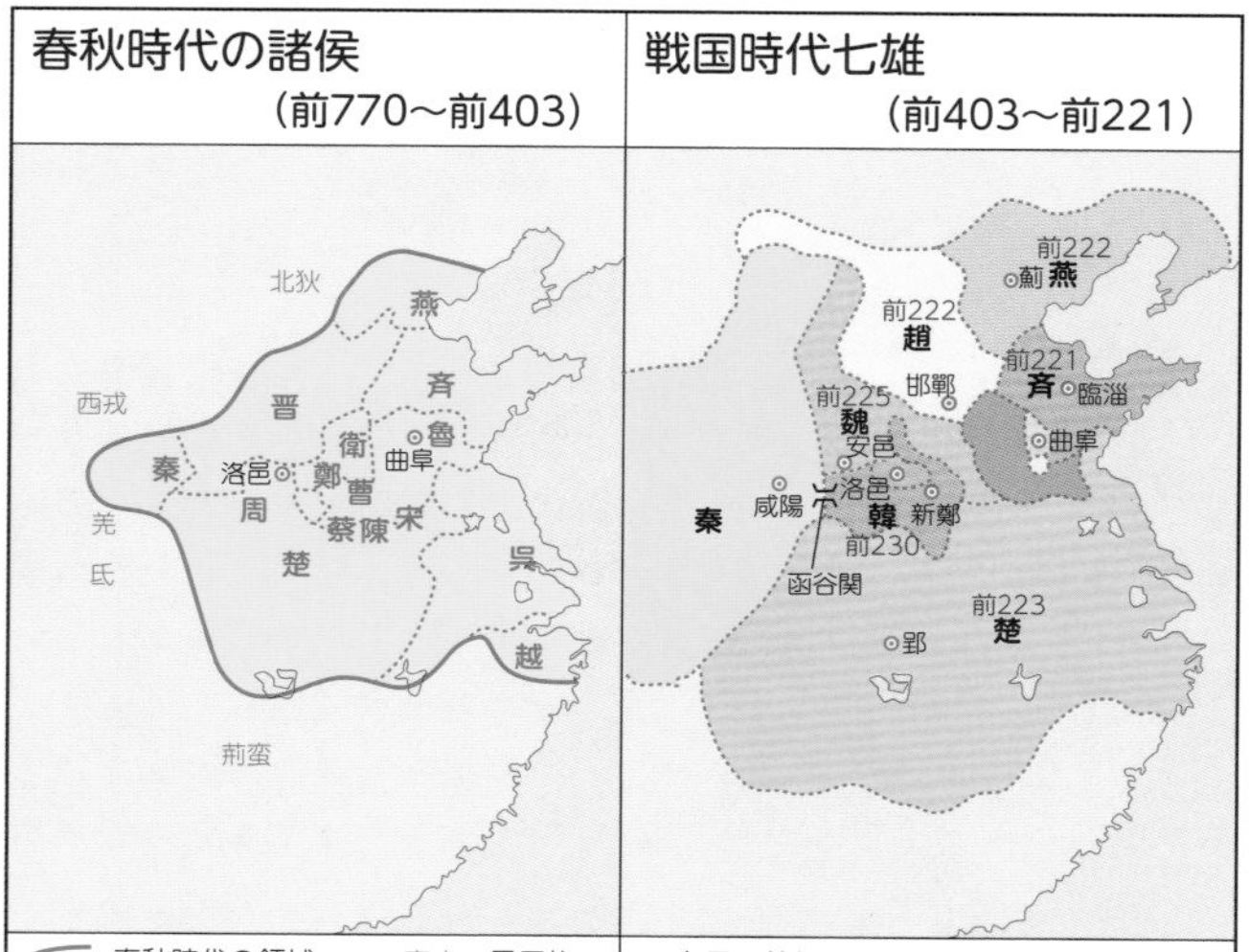

春秋時代の諸侯（前770～前403）

春秋時代の領域　青字：異民族

戦国時代七雄（前403～前221）

各国の首都　青字：秦に滅ぼされた年

世界史の目

渭水盆地 諸葛亮廟

渭水周辺には過去に多くの都城が築かれた。西周の鎬京、秦の咸陽、前漢・と隋唐の長安があげられる。三国志好きにはたまらない、かの有名な"五丈原（諸葛孔明が亡くなったとされる場所）"はこの川の上流南岸に位置する台地である。唐以降は黄河の氾濫が多くなるとともに、海運が主流になったこともあり、国都は渭水盆地より東に置かれるようになった。

世界史の目

曲阜 孔廟

山西省にある春秋時代の魯国の故地であるが、世界的には孔子の生地の街として有名である。周の建国者であった武王の弟で有徳者としても有名な周公旦が魯公であったとされる。周王室と孔子の関係が窺える歴史的背景でもある。孔廟・孔府・孔林などが観光の目玉。しかし、孔子の子孫と言われた人々は儒教が排斥された文化大革命で台湾に逃れたとされる。

世界史の目

函谷関

『キングダム』ファンなら知らない者はいない河南省と陝西省に挟まれた関所。これより西を"関中"と呼び、これより東を"中原"と呼んでいる。古くからの要衝であり、この関があるため、古代の多くの王朝が関中に都を置いたのである。前241年の五国合従軍と秦の合戦は有名で、個人的に、歴史的背景がその地を絶景と感じさせるのだと思った。

China

3 万里の長城（秦）、敦煌、シルク＝ロード

POINT

秦の“始皇帝”。初めて“皇帝”の称号を用いたためにそう呼ばれ、内政では強力な中央集権化（地方の直接統治、法家思想、文字や貨幣の統一）、外征では積極的に領土拡大（匈奴討伐、万里の長城）した新王政の栄枯盛衰を看取する――

● 秦・漢の統一帝国

始皇帝の急激な改革やたび重なる戦争と始皇帝陵や兵馬俑などの大土木事業は、農民を疲弊させ、秦はとうとう農民反乱によって衰退、項羽と劉邦によって滅ぼされました。その後、この2人による漢楚の争乱に勝利した**劉邦が漢王朝を建国し、約400年間続く統一王朝を築いた**のです。

前漢王朝は都を長安に置き、7代武帝の時代に全盛期を迎えました。儒学の官学化や塩・鉄・酒の専売によって財政安定をはかる一方で、匈奴を討って敦煌郡などを設置、朝鮮半島や中部ベトナムまで領土を拡大させました。しかし、武帝の死後、宦官や外戚の台頭で、紀元前後に外戚の王莽に国を奪われます（新王朝）が、25年に豪族出身の劉秀が帝位に就き、漢王朝を再興させました（後漢王朝）。後漢王朝では西域経営が行われたことでシルク＝ロードが、ローマと帝国との交易によりマリン＝ロードが成立しました。しかし、**王朝後半には宦官による政治腐敗が進む中、黄巾の乱が起こります。反乱は鎮圧したものの、各地の豪族が中央へ進出し、王室は名目的な存在になっていきました。**

前漢の領土

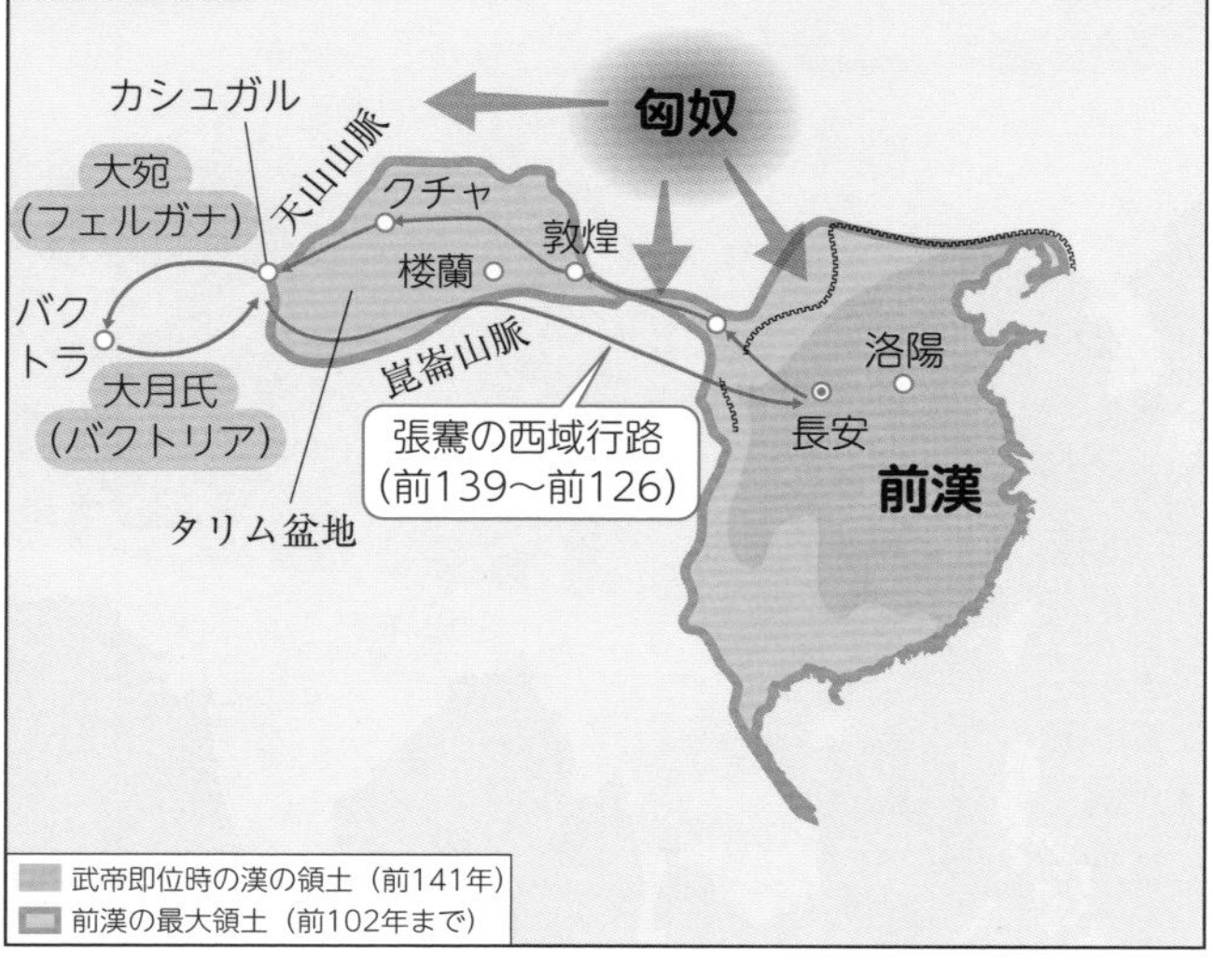

匈奴
カシュガル
天山山脈
大宛（フェルガナ）
クチャ
敦煌
楼蘭
バクトラ
大月氏（バクトリア）
崑崙山脈
洛陽
長安
前漢
張騫の西域行路（前139〜前126）
タリム盆地
武帝即位時の漢の領土（前141年）
前漢の最大領土（前102年まで）

世界史の目

万里の長城（秦漢時代）

遊牧騎馬民族の侵入を防ぐために北の国境に長城を建設した燕・趙・秦の３国のモノが起源とされる。西は甘粛省から南モンゴルまで、東は鴨緑江を越えて朝鮮半島まで延びていた。これらの長城を繋げて”万里の長城”としたのが、始皇帝。前漢武帝が強大化した匈奴の侵入を防ぐために修復したモノを敦煌郊外の玉門関跡付近で見られる。

世界史の目

敦煌 月牙泉・鳴沙山

前漢武帝の時代に匈奴を討って、河西回廊の最西端に建設した郡が敦煌。シルク＝ロードの分岐点として栄えたオアシス都市であり、郊外にある月牙泉と背景に臨むことができる鳴沙山は絶景と言えよう。この砂山を埋もれながらも反対側に登りつめれば、そこに有名な莫高窟（石窟寺院）がある。これまた絶景である。

世界史の目

シルク＝ロード 火焔山

武帝の命で大月氏に派遣された張騫によって西域事情が判明、２世紀に東西を結ぶ交通路として完成したとされる。その要衝として栄えたのがトルファン（高昌）。唐に征服されたのちは都護府が置かれた。『西遊記』に登場する”火焔山”はトルファンの東部に位置し、砂岩が侵食されてできた赤い地肌の模様が炎を思わせる。とにかく、夏は熱い！

China

4

赤壁、石窟寺院、大運河

POINT

後漢末期、華北を統一した曹操が赤壁の戦いで敗れ、三国分立が本格化。220年に曹操の子曹丕が魏の皇帝即位後、劉備が蜀を建国、孫権が呉を建国し、ここに始まった三国時代の動乱を見届ける――

●魏晋南北朝時代と隋の統一

三国時代に入ってすぐ、**魏は宰相の司馬一族によるクーデタで晋となり、呉を滅ぼして中国統一を**果たしますが、3世紀末に起きた八王の乱（一族の諸王の反乱）以降、五胡の侵入を招き、滅亡しました。

その後、華北では匈奴・羯・鮮卑・氐・羌の5民族（五胡）と中国人が建国した16国が並立する〝五胡十六国時代〟を迎えます。そして、**5世紀前半には鮮卑族によって建国された北魏が華北を統一**しました。この王朝は道教の国教化、石窟寺院の造営、漢化政策を行いますが、結局東魏と西魏に分裂、その後東魏は北斉、西魏は北周となり、最後は北周が華北を統一しました。滅亡した晋の一族は南へ逃げ、都を建康（現在の南京）において東晋を建国します。以降、宋・斉・梁・陳と続く江南地方の王朝を「南朝」、三国時代の呉を加えて、「六朝」と呼んでいます。

そして、**北周の外戚だった楊堅が隋を建国、陳を滅ぼして約370年ぶりに中国を統一**します。しかし、第2代の煬帝によるたび重なる領土拡大戦争や大運河などの大土木事業で人民は疲弊し、その結果、豪族の反乱を招き、**唐の建国者となる山西省の豪族だった李淵によって滅ぼされました。**

中国王朝の変遷チャート（三国時代～隋）

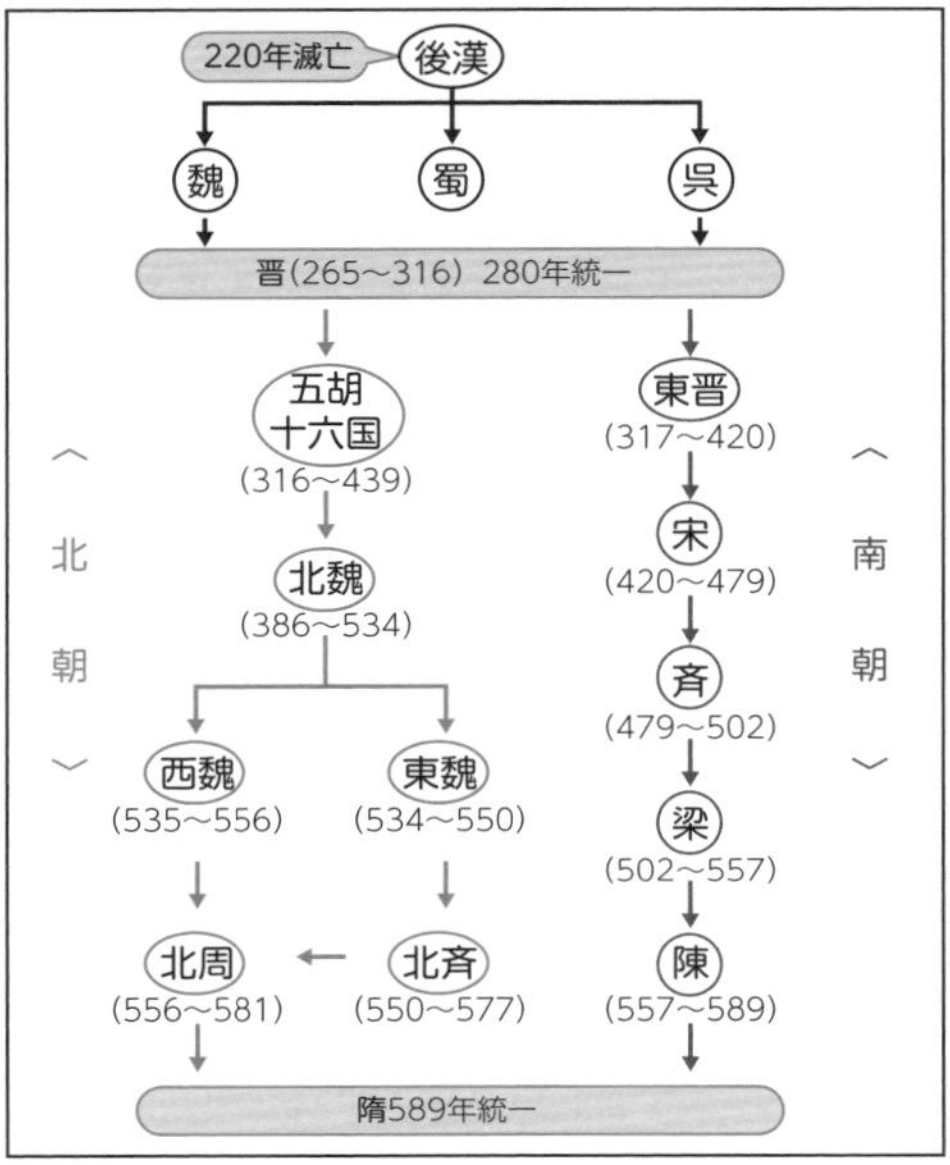

世界史の目

赤壁

三国志ファンはきっとガックリするが、中国人にとってみれば遠足気分の観光地。壮大に描かれる“赤壁の戦い”ではあるが、実際、赤壁の石刻のある岸壁から対岸へは泳げるくらいの距離に思えたの自分だけだろうか…。武漢からバスで2時間くらいのところにある。呉の将軍周瑜の像が立ち、諸葛孔明が東風を吹かせたという“拝風台”も観光できるが、その真偽は不明。

世界史の目

石窟寺院 雲崗石窟

中国三大石窟と言えば、敦煌の莫高窟、大同（古名は平城）の雲崗石窟、洛陽の龍門石窟である。ガンダーラ美術やインドの石窟寺院の影響を受けた仏教石窟であり、後者の2つは北魏時代に造営が開始された。同時代に廃仏があり、それを受けての仏教復興事業の1つであったとされる。河岸の断崖に開かれた石窟の技術に驚くばかりである。

世界史の目

大運河

正式には、北京と杭州を結んでいることから、“京杭大運河”と呼ばれている。もともとは隋代に軍事目的で造られたものだが、唐・宋で南北を結ぶ経済網となった。特に黄河と交差する開封は宋の都としても大繁栄した。元の時代に大きく整備された。運河沿いの街として有名な蘇州は“東洋のベニス”とも言われ、風光明媚な街となっている。

China

乾陵、華清池、杭州西湖

POINT

「貞観の治（第2代太宗）」「開元の治（第6代玄宗）」という安定期を現出した唐王朝。第3代高宗の時に最大版図を築くも、皇后・則天武后が実権を掌握し〝周〟を建国したり、妻・韋后が中宗を毒殺したり、楊貴妃が玄宗を狂わせたり…波乱の時代に思いをめぐらす――

●唐・五代十国・宋の時代

結局、**8世紀半ばに起きた安史の乱、9世紀後半に起きた黄巣の乱で唐は衰退しました**。しかし、唐は東アジア文化圏を形成し、周辺の国々に政治・社会・文化を広げていきました。

唐滅亡後、華北には短命な5つの王朝（後梁・後唐・後晋・後漢・後周）が約50年間続き、これを「五代」と呼びました。南には10の国家が同時期に興亡したことから、これらを合わせて、五代十国時代とされています。そして、**後周の武将であった趙匡胤が宋を建国しました**。

宋は文治主義（知識人主導の政治）を敷き、君主独裁官僚国家を目指しますが、周辺民族に対する銀や絹などの貢物、官僚の人件費などで財政難となりました。これを打開する為、宰相の王安石が新法を発布し、富国強兵策に努めるも、反対派との政争・皇帝の失政の中、女真人（金）の侵攻で首都の開封は陥落（靖康の変）。一族は南の臨安（のちの杭州）に遷都しました（南宋）。この王朝では、金との屈辱的和議が結ばれ、**1276年にはモンゴル軍によって滅ぼされました**。

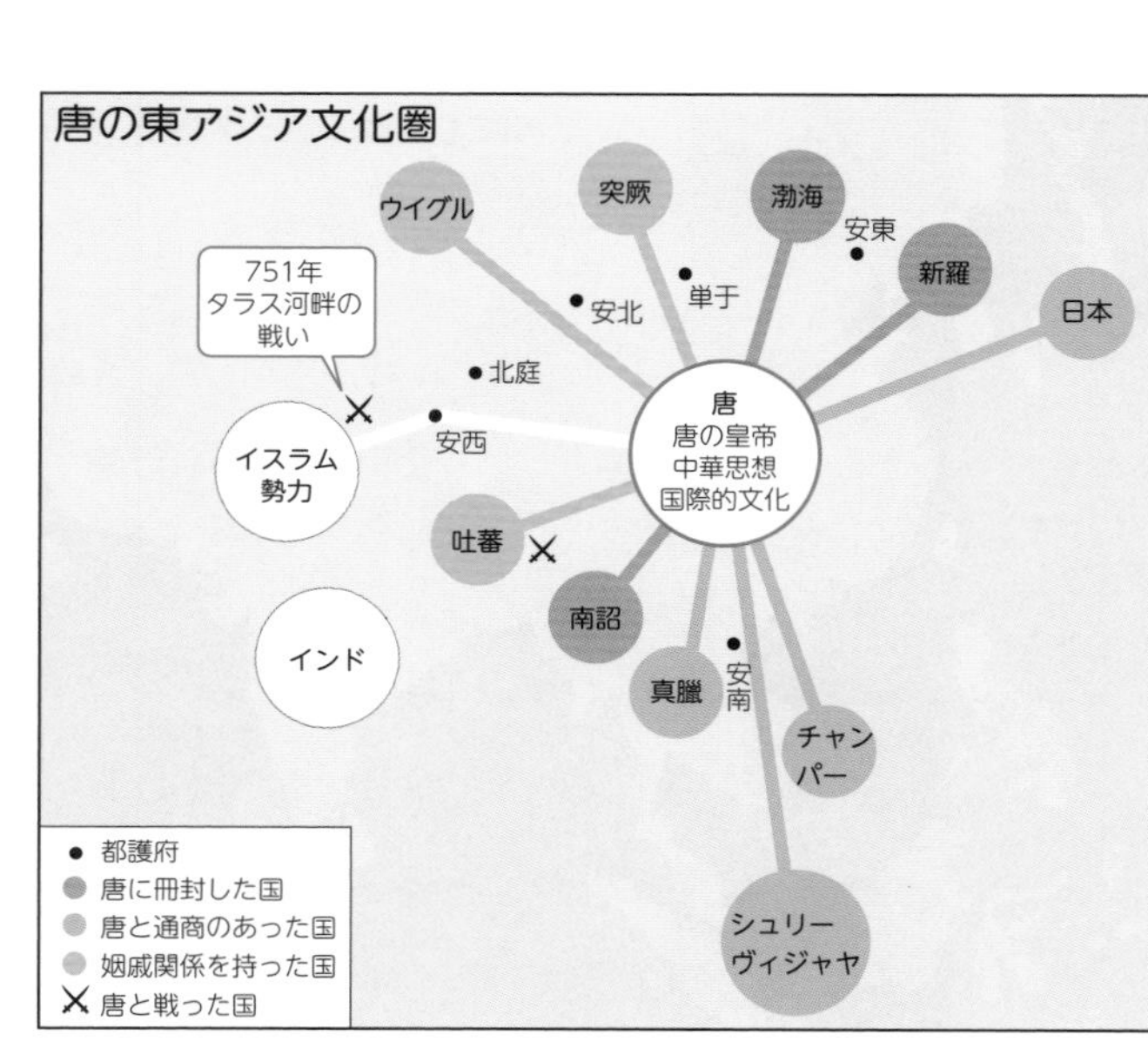

世界史の目

乾陵（けんりょう）

西安から北西に85kmの場所ある墓陵。唐第3代皇帝の高宗とその皇后でのちに唯一の女帝となった則天武后の陵墓である。中国では夫婦が一緒に祀られるのは非常に珍しく、これも則天武后の強さを象徴しているのかもしれない。17歳で自害させられた中宗の娘、永泰公主の墓の壁画は歴史的にも価値が高いモノとされている。

世界史の目

華清池（かせいち）

ただの庭園に過ぎないが、背景には始皇帝陵のある驪山（りざん）があり、温泉が湧き出る風光明媚なところ。ここには始皇帝も宮殿を建てたとされるが、何と言っても、この温泉（今はただの池）に玄宗皇帝と楊貴妃が仲睦まじく浸かっていたという話が白居易（はくきょい）の『長恨歌（ちょうごんか）』に残されている。楊貴妃の白い像、楊貴妃の入った風呂などが展示されているが…。

世界史の目

杭州西湖（こうしゅうせいこ）

上海から高速道路で45分の所にある杭州。南宋の首都が置かれた臨安であり、大運河の南の終点でもある。ここは中国銘茶で有名な龍井茶（ろんじん）の産地。日本史でも有名な空海が日本に持ち帰ったとされているが…お値段は高くてびっくり。そして、絶景と言えば、杭州西湖である。世界遺産でもあり、多くの詩人もその美しさを詩に詠んでいる。

China

6 万里の長城（明）、紫禁城、山海関

POINT

1206年にチンギス＝ハンによって建国され、西はロシア～イラク・トルコ付近、南は華北地方・チベット、東は朝鮮半島まで領域を広げたモンゴル帝国。その後に明、そして清の時代へと突入する――

●元明清　13～18世紀

第5代フビライ＝ハンの時に、首都を大都（現在の北京）に置いた元が成立し、南宋を滅ぼして中国を統一しました。しかし、東南アジアや日本への遠征の大半は失敗し、漢民族復活を掲げた紅巾の乱により滅亡します。

紅巾賊の首領だった朱元璋が建国した明は、第3代永楽帝の時代に全盛期を迎えます。万里の長城を現在の形へ修築し始め、現在の北京故宮博物館である紫禁城が造営されました。鄭和を南海諸国遠征に送り、明への朝貢を促しました。15～16世紀は北虜南倭に苦しみ、豊臣秀吉の朝鮮出兵に援軍を送りますが、それも災いし国力は疲弊。最後は李自成の乱（農民反乱）により滅亡しました。

明の衰退期に女真人は後金を建国し、国号を〝清〟、民族名を〝満州人〟と変えて南下してきました。山海関を守った呉三桂が明滅亡により帰順したため清軍は北京入城を果たし、本土を支配し始めます。第4代康熙帝時代に台湾を占領、ロシアと国境条約を結び外モンゴルやチベットも平定。第6代乾隆帝時代に東トルキスタンを支配し、最大版図を築きました。

清の最大版図

ロシア
ジュンガル部
ハルハ部
チャハル部
回部
北京
朝鮮
日本
サマルカンド
チベット
黄河
長江
ムガル帝国
清
台湾
マラーター同盟
インダス川
ミャンマー
タイ
ベトナム
清の直轄地
清の藩部
清の属国

世界史の目

万里の長城（明）八達嶺（はったつれい）

現存する長城の全長は約6250㎞と言われ、日本の南北全長の２倍以上である。五胡の侵入以降、長城防衛はほとんど放棄されていたが、明代に入り、北方へ駆逐したモンゴル系部族が息を吹き返したのを契機に再建築が始まった。八達嶺には急な男坂・なだらかな女坂があり観光客は体力に合わせて坂を選んで観光する。ここでジョギングする西欧人も稀にいるがスゴイ。

世界史の目

紫禁城

もともとは元のフビライ＝ハンが造営した宮殿跡に、明の永楽帝が増築する形で完成させたのが紫禁城。内廷（皇帝の私的空間）と外朝（政治が行われる空間）に分かれていて、場内には5つの門がある。天安門をくぐって、午門から入るが、出口の神武門までしっかりみると３時間以上はかかる。神武門の背後にある景山公園には明最後の皇帝が自殺した木が残っている。

©giusparta/123RF.COM

世界史の目

山海関 老龍頭

西の嘉峪関（かよくかん）とともに、東の山海関として万里の長城の要衝とされた。河北省と遼寧省の境に位置する。この関より西を“関内”、東を“関東”と称したことから、のちに日本の支配した地を関東州（駐留軍は関東軍）と呼んだ。呉三桂が清に投降するまで難攻不落の要塞だった。海に突き出ている“老龍頭（ろうりゅうとう）”と海岸の光景は絶景間違いなし。

China

7 頤和園、中山陵、天安門広場

POINT

19世紀に入りアヘン戦争・アロー戦争の敗北、太平天国の乱と内憂外患であった清王朝。洋務運動も失敗し、清仏戦争・日清戦争にも敗れ、ベトナム・朝鮮の宗主権を失う大動乱の時代を見つめる――

●清末〜中華民国・中華人民共和国

改革派は明治維新を模範とした立憲君主制を目指す変法運動を展開しますが、西太后ら保守派のクーデタで挫折します。同時に中国分割、さらには外国人排斥を掲げた義和団の乱も鎮圧され、清は半植民地化されてしまいました。

そうした中、孫文ら革命派に**よる辛亥革命で中華民国が建国され、清王朝は滅亡**します。軍閥の台頭、それに対抗しようと国民党と共産党が成立し、三つ巴の内戦となってしまいました。しかし、日中戦争が始まると抗日統一で結束し、日本と戦いました。日本敗戦後は国共内戦となり、**1949年共産党が勝利し、毛沢東が中華人民共和国建国を宣言、国民党は台湾へ逃れたのです。**

その後、社会主義への回帰を独裁的に威圧的に進めた文化大革命という混乱を経て、毛沢東の死後、鄧小平によって改革・開放が提唱され、社会主義市場経済へと舵が切られました。その間、2度にわたり、学生を中心とした民主化運動（天安門事件）が起こりますが、いずれも弾圧されてしまい、今でも言論の自由の制限や一部で経済統制は続いています。

中国革命の進行チャート

【興中会】→【中国同盟会】→【国民党】→【中華革命党】→1919年【中国国民党】

1921年【中国共産党】

1924年 **第1次国共合作**
→ 1927年 **上海クーデタ**
↓国民党、共産党を弾圧し、国共内戦勃発
→ 1936年 **西安事件**
↓張学良、内戦の停止と合作を訴える
→ 1937年 **盧溝橋事件(日中戦争開始)**
→ 1937年 **第2次国共合作**
→ 1946年〜**国共内戦再開**
→ 1949年 **中華人民共和国成立**

世界史の目

頤和園

北京北西部にある人工で造られた昆明湖と万寿山が特徴の庭園。明代に造られたが、アロー戦争で円明園とともに英仏軍に破壊された。光緒帝の摂政となった西太后が自身の居所として莫大な費用をかけて再建し、隠居した。この建築費は軍事費を流用したモノだったため、日清戦争での敗北の一因となったとも言われている。

世界史の目

中山陵

南京の紫金山に造られた孫文の陵墓。頂上には孫文の棺が置いてあり、そこから階段を見下ろす景色は素晴らしく、孫文の意向もあったとされる。孫文は広東省中山県の出身であったために、孫中山先生とも呼ばれていたことから、この名前が付いた。この近くには、明建国者である洪武帝の陵墓もある。梅で有名な梅花山には呉の孫権の墓もある。

世界史の目

天安門広場

この門は紫禁城の第一門とされ、その楼上から1949年10月1日に毛沢東は建国宣言を行っている。門の中央に毛沢東の肖像画が掲げられているのは有名。ちなみに、それを真似てか、習近平も毛沢東と同じ姿で演説をしたことがある。長安街で隔てられた向こうに見えるのが天安門広場である。この広場には毛主席記念堂があり、毛沢東が眠っている。

インドの歴史

宗教対立・民族分断の歴史を持つ〝宗教のるつぼ〟の悲劇国

前2600年頃	インダス文明の成立	モエンジョ＝ダーロ Mohenjo-Daro P.106
前1500年頃	アーリヤ人がパンジャーブ地方に南下	カイバル峠 Khyber Pass P.106
前6世紀頃	仏教・ジャイナ教の発生✕ カースト制度（バラモン教）	四大聖地 holy ground P.106
前4世紀	マウリヤ朝の成立	① サーンチー Sanchi P.108
1世紀	クシャーナ朝の成立	
4世紀	グプタ朝の成立	② エローラ石窟 Ellora Caves P.108
7世紀	ヴァルダナ朝の成立	② ナーランダー僧院 Nalanda Mahavihara P.108
8世紀～	イスラーム勢力のインド侵入	

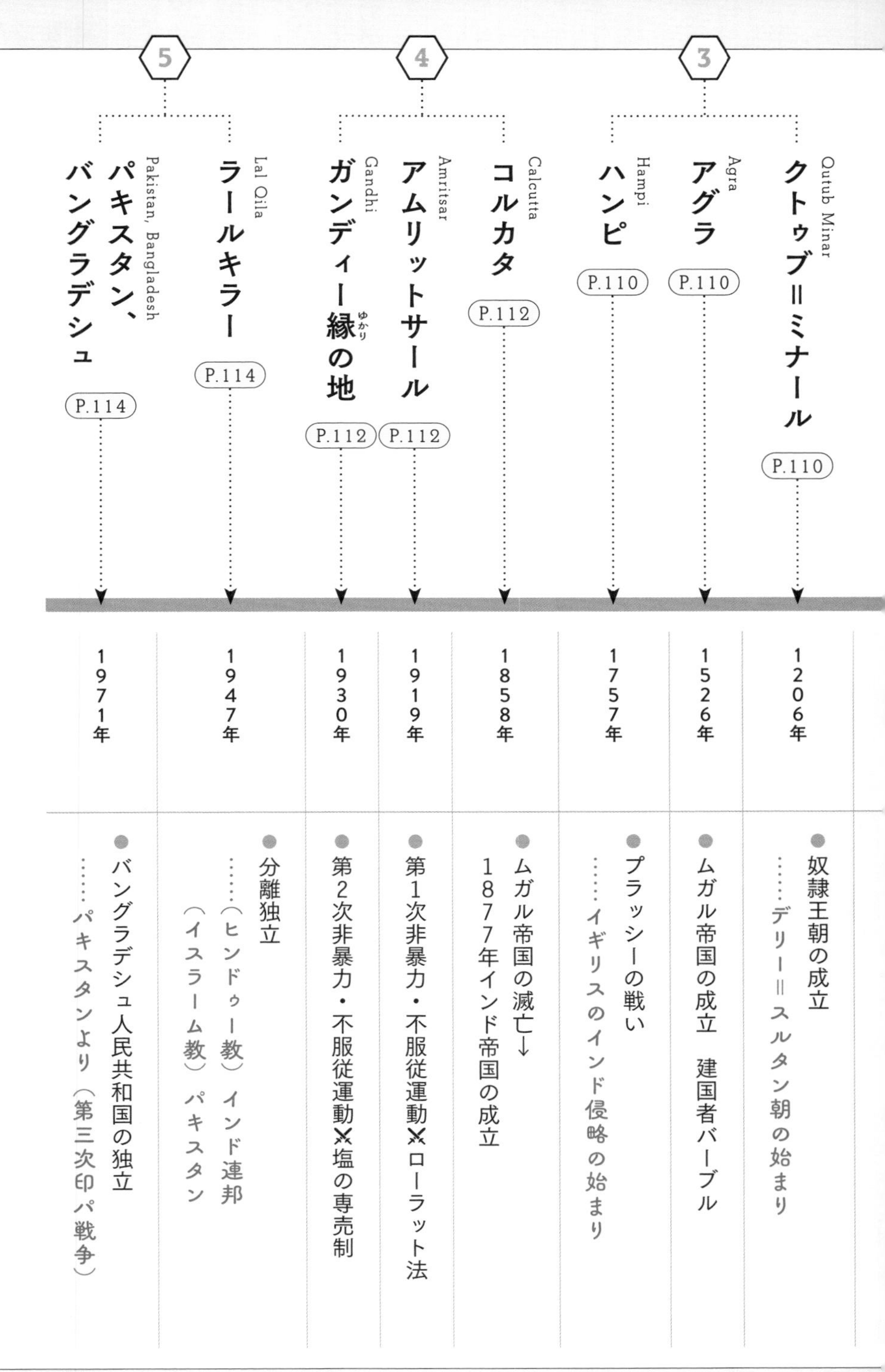
3
クトゥブ＝ミナール
Qutub Minar
P.110
1206年
奴隷王朝の成立
……デリー＝スルタン朝の始まり
アグラ
Agra
P.110
1526年
ムガル帝国の成立　建国者バーブル
ハンピ
Hampi
P.110
1757年
プラッシーの戦い
……イギリスのインド侵略の始まり
4
コルカタ
Calcutta
P.112
1858年
ムガル帝国の滅亡→
1877年インド帝国の成立
アムリットサール
Amritsar
P.112
1919年
第1次非暴力・不服従運動✕ローラット法
ガンディー縁の地
Gandhi
P.112
1930年
第2次非暴力・不服従運動✕塩の専売制
5
ラールキラー
Lal Qila
P.114
1947年
分離独立
……（ヒンドゥー教）インド連邦
（イスラーム教）パキスタン
パキスタン、バングラデシュ
Pakistan, Bangladesh
P.114
1971年
バングラデシュ人民共和国の独立
……パキスタンより（第三次印パ戦争）

India

1 モエンジョ＝ダーロ、カイバル峠、四大聖地

Mohenjo-Daro, Khyber Pass, holy ground

POINT

紀元前3千年期にインダス川流域に発祥、前1800年頃に滅んだとされるインダス文明。使用されたインダス文字は今も解読されていない。詳細不明ながら重要な古代文明の1つである地の跡を垣間見る――

●インドの古代文明

前1500年頃、インド西北部にアーリヤ人が南下してきました。その後、ガンジス川流域へ移動し、農耕定着、いくつかの都市国家を作ります。この頃から、自然現象や動物などを神格化した**バラモン教**が広がりました。この宗教の根本聖典とされる『ヴェーダ』は神々を賛美する歌を集めたものでした。また、4つの**ヴァルナ**の身分制度（バラモン・クシャトリヤ・ヴァイシャ・シュードラ）が確立されました。さらに**ジャーティ**（生まれを意味する語）という世襲的な職業ごとの集団もあり、のちに、**この2つが結びついて、「カースト制度」というインド独特の身分差別が生まれたのです**。これに対して、前6世紀よりバラモン中心主義への反省からカースト制度を否定し、身分差のない平等を目指す2つの宗教が生まれました。それが**仏教**と**ジャイナ教**です。前者は精神的修行、後者は肉体的修行による解脱を説きましたが、**ガンジス川を統一した**マガダ国**では仏教が重んじられ、統一王朝となったマウリヤ朝以降、長らく仏教最盛期を迎えることとなるのです。**

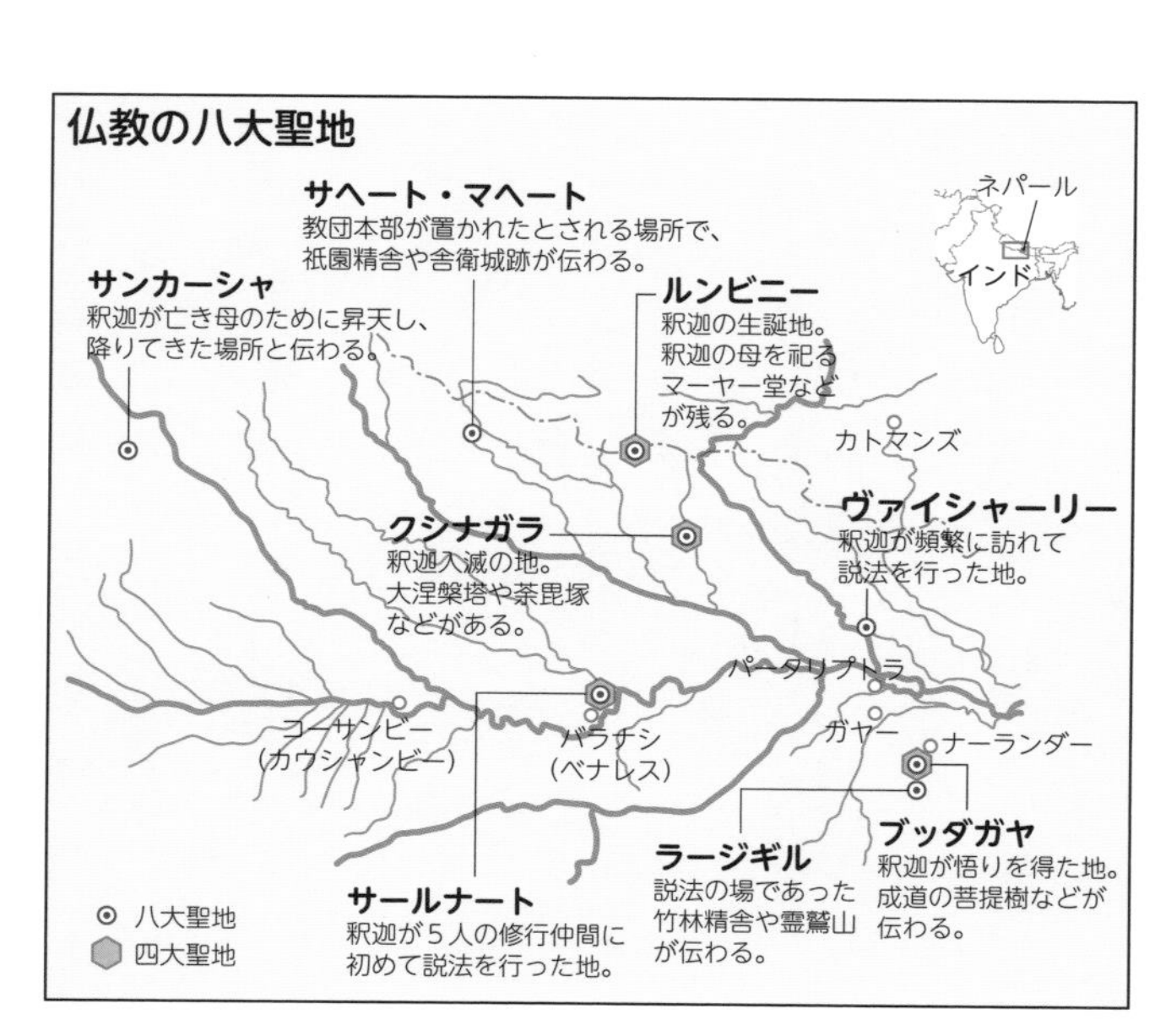

世界史の目

モエンジョ＝ダーロ

インダス川中流西岸にある遺跡で、現在はパキスタンに位置する。上下水道などが整備された整然とした都市遺跡で、煉瓦や青銅器が使用されているが鉄器はない。カラチからの寝台列車をラルナカで下車し、タクシーをチャーターしたが、「観光客を乗せていると山賊に襲われるから後ろのシートで横になっていてくれ」と運転手に言われたのが忘れられない。

世界史の目

カイバル峠

パキスタンとアフガニスタンにある峠で、当時は中央アジアからインドに入るための唯一の陸路の入口。アレクサンドロス大王も玄奘（三蔵法師）もバーブル（ムガル帝国建国者）もすべてここを通った。この峠は、現在はアフガニスタン政府を掌握している「ターリバーン」がアメリカ軍に追われてひそかに隠れていた地域である。まさに絶景だが、観光地としては不適格か…。

世界史の目

四大聖地

ルンビニー（釈迦誕生の地）・ブッダガヤー（悟りを開いた地）・サールナート（初説法の地）・クシナガラ（釈迦最後を迎えた涅槃の地）の４つのこと。ルンビニーのみネパールに、あとはインドのガンジス川流域にある。サールナートの観光拠点となるバラナシはガンジス川の沐浴で有名。しかし、牛の糞が多いので要注意！　いったん付いた臭いは落ちない…。

India
2
サーンチー、エローラ石窟、ナーランダー僧院

Sanchi, Ellora Caves, Nalanda Mahavihara

POINT

インダス文明以来、仏教・バラモン教・ヒンドゥー教などの宗教による社会を形成したインド大陸。オリエント、イスラーム、中国文明などとの交渉も背景に変遷してきた歴史を目に焼き付ける——

●イスラーム化されるまでのインド

前4世紀後半、統一国家として*マウリヤ朝が成立しました。第3代アショーカ王の時に全盛期を迎えます。ダルマ（法）に基づく統治を掲げ、各地に石柱碑・磨崖碑を建立、仏教に帰依してストゥーパ（釈迦の骨を納める）を造営しました。また、仏典結集などを行う一方で、スリランカに仏教を布教しました。これが、のちに上座部仏教と呼ばれ、ビルマ・タイなどに伝播しました。

後1世紀に成立した*クシャーナ朝はインド西北部から中部にかけて流域を拡大させ、カニシカ王の時代に仏教はガンダーラ地方に布教されます。のちにシルク＝ロードから中国へ伝わり、これが大乗仏教と呼ばれています。この地方ではヘレニズム文化の影響を受けた仏像美術が生まれました。

4世紀に建国された*グプタ朝ではインド古典文化（『ラーマーヤナ』などのサンスクリット文学など）が確立。ガンダーラ美術に対抗して純インド的な仏教美術として石窟寺院が造営され、学問的にも仏教は全盛期を迎えます。しかし、高度な学問や芸術が求められ始めたことから次第に民衆の心が離れ、代わりにバラモン教がベースのヒンドゥー教が広く信仰されるようになったのです。その後、*ヴァルダナ朝の時代に、玄奘（三蔵法師）や義浄がやって来て中国に仏典を持ち帰り、多くの書物を残すも、8世紀にイスラーム勢力が侵入すると、北インドは次第にイスラーム化されていきました。

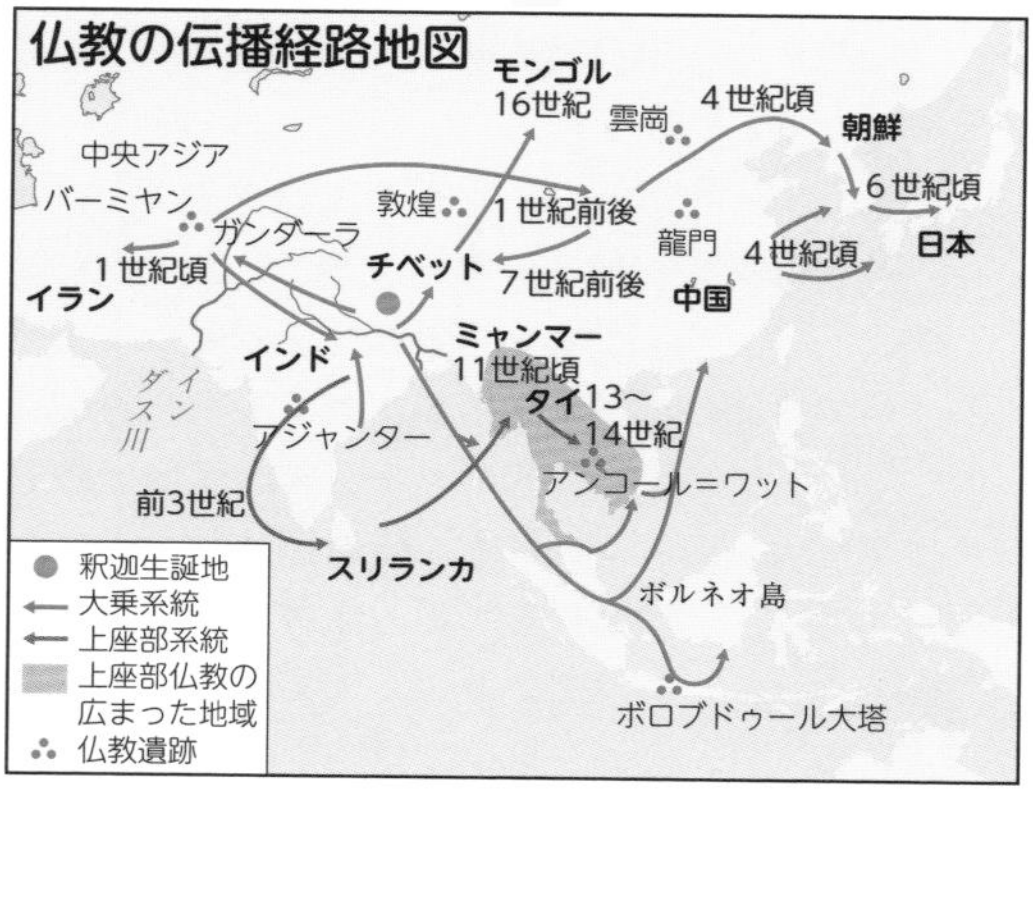

仏教の伝播経路地図

世界史の目

サーンチー

インド中部にある村。84,000にも散骨されていた釈迦の仏舎利（遺骨）を集めて、安置した卒塔婆（ストゥーパ）がある。現在は3塔が残る。塔自体はドームのような形で、てっぺんには三段の傘が付いている。四方には「トーラナ」という門のようなものがあり、様々な獅子像が彫られている。王墓を守るスフィンクスの影響とも言われる。

世界史の目

エローラ石窟

カイラーサナータ寺院

石窟寺院で有名な街がエローラとアジャンター。エローラには仏教・ヒンドゥー教・ジャイナ教の3つの宗教の石窟寺院があり、その中央にあるカイラーサナータ寺院（ヒンドゥー教）の彫刻技術は見事。また、アジャンターには河岸段丘に造られた仏教の石窟寺院があり、内部の壁画が美しく、似たものが法隆寺にもある。

世界史の目

ナーランダー僧院

ガンジス川流域のラージギル近郊にある世界初の全寮制学校。玄奘、義浄など多くの渡印僧が訪れた僧院。イスラーム勢力により略奪・破壊され、現在人は住んでおらず、遺跡だけが残される。21世紀に入り、インド政府によるナーランダー大学復興プロジェクトにより、たった15人を募集し授業が再開された。

India

3

クトゥブ＝ミナール、アグラ、ハンピ

Qutub Minar, Agra, Hampi

POINT

10世紀以降、アフガニスタンに興ったガズナ朝やゴール朝が西北インドに侵入し、北インドのイスラーム化が促進される。強大な帝国・ムガル帝国から植民地化されるに至る経緯に思いを馳せる——

●インドのイスラーム化とムガル帝国

1206年には奴隷出身のアイバクがインド初のイスラーム王朝として奴隷王朝を建国しました。以降、都をデリーに置いた王朝が4つ続き、これらを歴史上、デリー＝スルタン朝と呼びます。それぞれの王朝はイスラーム教以外の宗教（主にヒンドゥー教）も認めました。このことは、16世紀初めに、イスラーム教とヒンドゥー教の融合宗教であるシク教が成立する背景ともなりました。

1526年、モンゴル帝国の再興を目指したバーブルが都をデリーに置いてムガル帝国（「モンゴル」のインド訛り）を建国しました。第3代のアクバルは首都をアグラに移した他、ヒンドゥー教徒に対する懐柔策など宗教和解策を試みました。しかし、第5代シャー＝ジャハーンの時には愛妻のためにタージ＝マハル（墓廟）を造営するなどの贅沢や浪費により財政難に陥ってしまいました。これに反発した息子アウラングゼーブはクーデタで父をアグラ城に幽閉し、自らが第6代皇帝となりました。ヒンドゥー教徒への徴税復活や領土拡大など威圧的・武力的な統治を行ったため、他宗教徒の反発を買うことになりました。彼の死後は、地方政権の自立に加え、1757年のプラッシーの戦いでフランスとベンガル土侯軍に勝利したイギリス東インド会社軍がインドの植民活動を開始し、ムガル帝国の領土は縮小することになりました。

インド・イスラーム王朝の版図

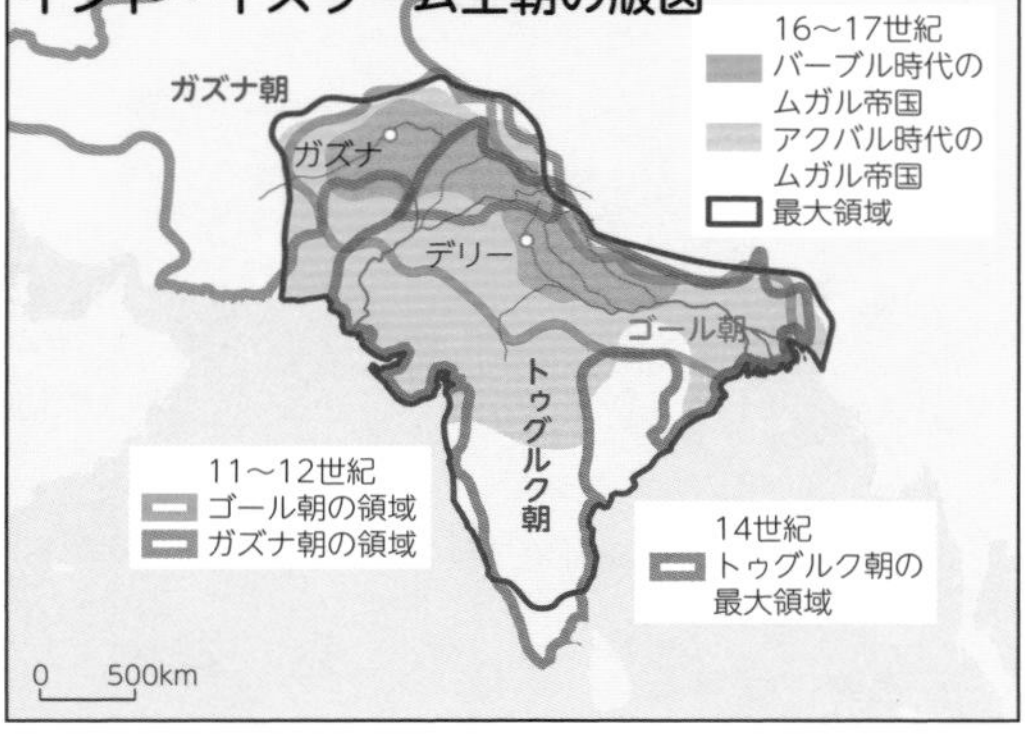

16～17世紀
バーブル時代のムガル帝国
アクバル時代のムガル帝国
最大領域
ガズナ朝
ガズナ
デリー
ゴール朝
トゥグルク朝
11～12世紀
ゴール朝の領域
ガズナ朝の領域
14世紀
トゥグルク朝の最大領域
0 500km

世界史の目

クトゥブミナール

デリー郊外にある戦勝記念塔。奴隷王朝の建国者クトゥブッディーン・アイバクがヒンドゥー教・ジャイナ教の寺院を破壊してその石材で造ったもの。かつては世界で一番高いミナレットだったが、地震や事故で30mほど先端が短くなり、現在は72.5m。ここには世界でも有名な「錆びない鉄柱（アショーカ王の柱）」がある。

世界史の目

アグラ 📷タージ・マハル

デリーの南、ヤムナ川の畔にある街。タージ＝マハル、アグラ城が有名。タージ＝マハルを眺める方角はいろいろ。正面入り口の水路から、アグラ城内のシャー＝ジャハーンの幽閉場所（右の写真）から、タージ＝マハル裏側の英国庭園（黒いタージ・マハルを造る予定だったところ）から。それぞれベストショットがある。とにかく空気が澄んだ朝がいい。

世界史の目

ハンピ 📷街の夕景

14〜17世紀に中部から南インドにあったヴィジャヤナガル王国の首都。大航海時代には多くのヨーロッパ人が訪れた。この街は現在「インドのバックパッカーの聖地」と呼ばれるくらい安宿が多く南インド観光の拠点となっている。インドの主たる観光地は北〜東インドに集中するが、タミル文化を楽しむなら南インド観光はおススメ。

India

4 コルカタ、アムリットサール、ガンディー縁（ゆかり）の地

Calcutta, Amritsar, Gandhi

POINT

イギリスは、南インドのマイソール王国、デカン高原のマラーター王国、パンジャーブ地方のシク教国を次々と征服し、ムガル帝国が直轄するデリー周辺の領土を除く全インドの征服に成功。イギリス支配時代の面影を見つめる——

●イギリスによる侵略

1857年、東インド会社*に雇われていたインド人傭兵（ようへい）（シパーヒー）が、待遇への不満から反英暴動を起こしたシパーヒーの乱をきっかけに、その後、ムガル皇帝を擁立したことで「インド大反乱」となりました。結局、鎮圧され、**ムガル帝国は滅亡、首都をカルカッタ、皇帝をヴィクトリア女王とするインド帝国*が成立**したのです。

インド帝国ではカースト差別や宗教対立を煽ることによって、反英団結を阻止する民族分断政策がとられました。それに対し、「1つのインド・同じインド人」を掲げ、ヒンドゥー教とイスラーム教の結束による反英運動のリーダーになったのがガンディーでした。

第一次世界大戦後、アムリットサールで起きた集会弾圧事件をきっかけに第一次非暴力不服従運動が始まりました。また、1930年にはイギリスによる塩の専売制に反対して塩の行進（第二次非暴力不服従運動）が行われました。結果、1935年にはインド各州に自治権が与えられました。しかし、**第二次世界大戦では、ヒンドゥー教徒とイスラーム教徒は団結しての反英運動はできず、イスラーム教徒はイギリスへの戦争協力の見返りに戦後の分離独立を要求した**のです。

インド民族運動の展開

イギリスによる植民地化

1857年　シパーヒーの乱

→インド大反乱に！

1877年　インド帝国成立

第1次世界大戦に参戦する代償として、イギリスがインドの自治権を約束

インド：1919年〜1922年　第一次非暴力不服従運動

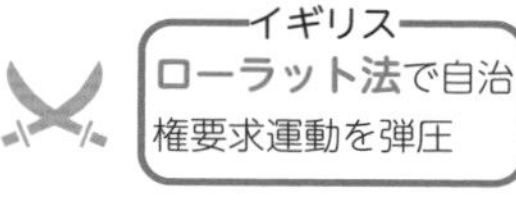

イギリス：ローラット法で自治権要求運動を弾圧

1929年　「プールナ・スワラージ」の決議

1930年　塩の行進

1930年〜1934年　第二次非暴力不服従運動 → 1935年　新インド統治法

1947年　分離独立

世界史の目

コルカタ

ビクトリア・メモリアル

ガンジス川下流域の大都市で、なにせ治安が悪い。ビクトリア・メモリアルやセント・ポールズ大聖堂などのイギリス植民地時代の名残がある。マザー・テレサ創設のマザーハウスと彼女の墓もある。日本に帰国できない伝染病にかかるとしばらくマザーハウスでお世話になると聞いたことが…。

世界史の目

アムリットサール

黄金寺院

インド北西部のパキスタンとの国境に近い街。シク教総本山の黄金寺院がある。ランチの配給があるので、本当にお金に困ったら立ち寄ってもよかろう。また、1919年に起きた集会弾圧事件（1,200名近くが死傷）の場所も残されている。今でも銃弾の痕や逃げるために飛び込んで多くの人が死んだ井戸が保存されている。

世界史の目

ガンディー縁の地

ラージガート

ラージガート（荼毘に付された場所。その時の炎が残っている…？）、ガンディースミリティ博物館（旧ビルラー邸。暗殺の地）、ガンディー国立博物館（ガンディー遺品。グッズはここで）の3つはマスト。アーメダバードにあるガンジーアシュラム（ガンディーの家）まで足を延ばせたら最高。

India

5

ラールキラー、パキスタン、バングラデシュ

Lal Qila, Pakistan, Bangladesh

POINT

「統一インド」の建国を主張し、ヒンドゥー教徒とイスラーム教徒の仲介に尽力したガンディー。しかし全インド＝ムスリム連盟が強固に反対、ヒンドゥー教徒内にも分離独立派が生まれたインドの悲劇を知る——

●第一次〜三次印パ戦争

1947年、ついにイギリスはインドの分離独立を決定し、ヒンドゥー教徒中心のインド連邦とイスラーム教徒中心のパキスタン共和国がそれぞれ成立することになりました。

東西国境付近で始まった第一次印パ戦争はコルカタで5万人近くの死者を出しました。ガンディーの仲介によりなんとか停戦できましたが、翌年ガンディーは狂信的ヒンドゥー教徒により暗殺されてしまいます。1950年代はインドもパキスタンも非同盟主義を唱え、反植民地主義を掲げましたが、**1965年からはカシミール地方をめぐり第二次印パ戦争が起き、結局は国連の介入により、カシミール地方は分割されることになりました。**

東西に分かれて建国されたパキスタンでは、**言語アイデンティティや経済的な対立が表面化し、1971年から第三次印パ戦争となりました。**東パキスタンがインドに支援を求めたため、印パの戦争となったのです。結局、東パキスタンはバングラデシュ人民共和国としてパキスタンから独立に成功しました。その後もインドとパキスタンの対立は続き、互いに核保有国になったのです。パキスタンにはターリバーンやアル＝カーイダなどのテロ組織が身を潜めていたこともあり、テロの危険性は常にある状態です。また、バングラデシュはミャンマーからの難民問題で社会不安を抱えています。

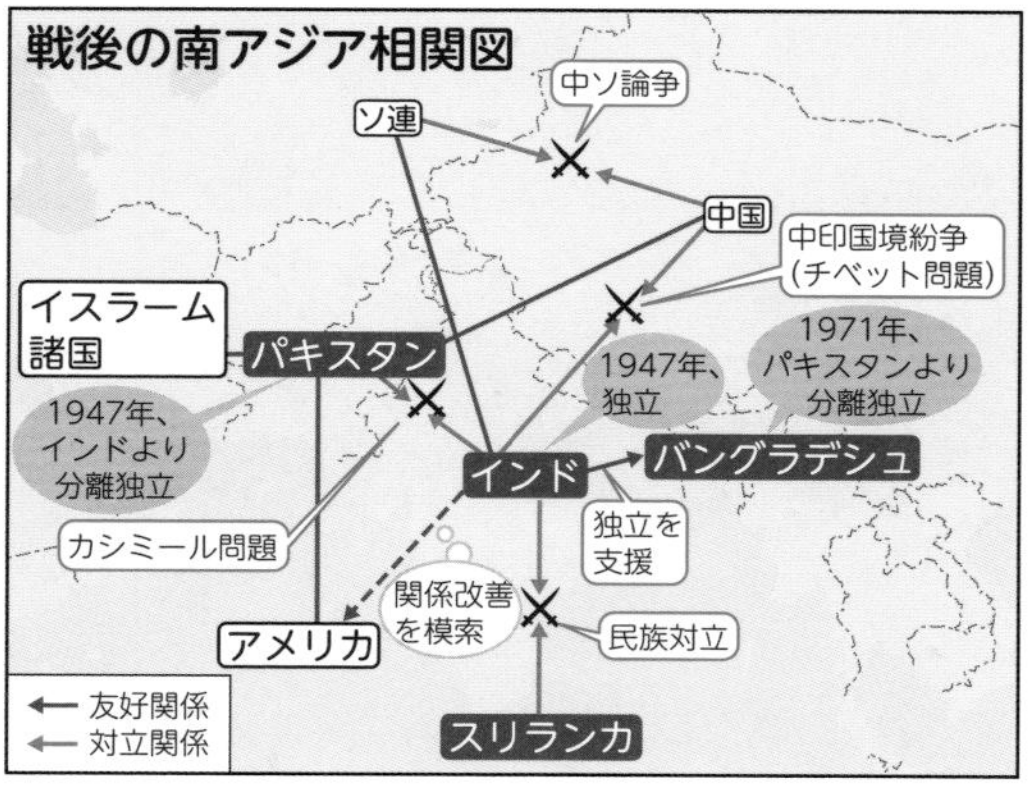

戦後の南アジア相関図

ソ連
中ソ論争
中国
中印国境紛争（チベット問題）
イスラーム諸国
パキスタン
1947年、独立
1971年、パキスタンより分離独立
1947年、インドより分離独立
インド
バングラデシュ
カシミール問題
独立を支援
関係改善を模索
民族対立
アメリカ
スリランカ
← 友好関係
← 対立関係

世界史の目

ラールキラー

ムガル皇帝第5代であるシャー＝ジャハーンがデリーの中心に造営したモノ。「赤い城」と訳す要塞である。1947年の独立記念式典はここで行われ、初代首相ネルーがここで独立を宣言している。以降、毎年8月15日のインド独立記日には、インド首相が演説することになっている。この周辺の地区がオールドデリーと言われ、「カオス」な地区である。

世界史の目

パキスタン　ラホール城塞

現在は観光には適してはいないが、モエンジョ＝ダーロをはじめとするインダス文明の遺跡、タキシラやタフテ・バビーなどの仏教遺跡は世界遺産に登録されている。ラホールの城塞も世界遺産。インドのアムリットサールから西に行ったところに国境検問所があり、夕方に行われる国境閉鎖の儀式は観光の的だ。

世界史の目

バングラデシュ

バハルプール仏教遺跡群

現在アジア最貧国と言われ、一時イスラーム・テロ事件が首都ダッカの高級地区で起こっていた。ミャンマーからのロヒンギャ難民の対応で苦しんでいるという現状もある。3つある世界遺産のうち、バハルプールの仏教寺院遺跡群は8世紀頃に栄えた密教（仏教の一派）の中心とされた。

イギリスの歴史

島国らしい独自性と保存力に長けた伝統ある王国

1

ソールズベリー Salisbury P.118

スコットランドの長城 Hadrian's Wall / Antonine Wall P.118

ウェストミンスター寺院 Westminster Abbey P.118

2

カンタベリー大聖堂 Canterbury Cathedral P.120

オクスフォード Oxford P.120

前2500年頃	●ストーンヘンジが建てられる（＊異説多い）
2世紀	●イングランドとスコットランドの国境に城壁が築かれる
5世紀	●ゲルマン系アングロ・サクソン人の侵入が始まる
9世紀	●ウェセックス王エグバードが七王国（ヘプターキー）を統一
1066年	●ノルマン朝の建国 ……ノルマン征服
1154年	●プランタジネット朝の建国 ……フランス領西半分を領有
1215年	●大憲章（マグナ・カルタ）を承認 ……議会主義のはじまり

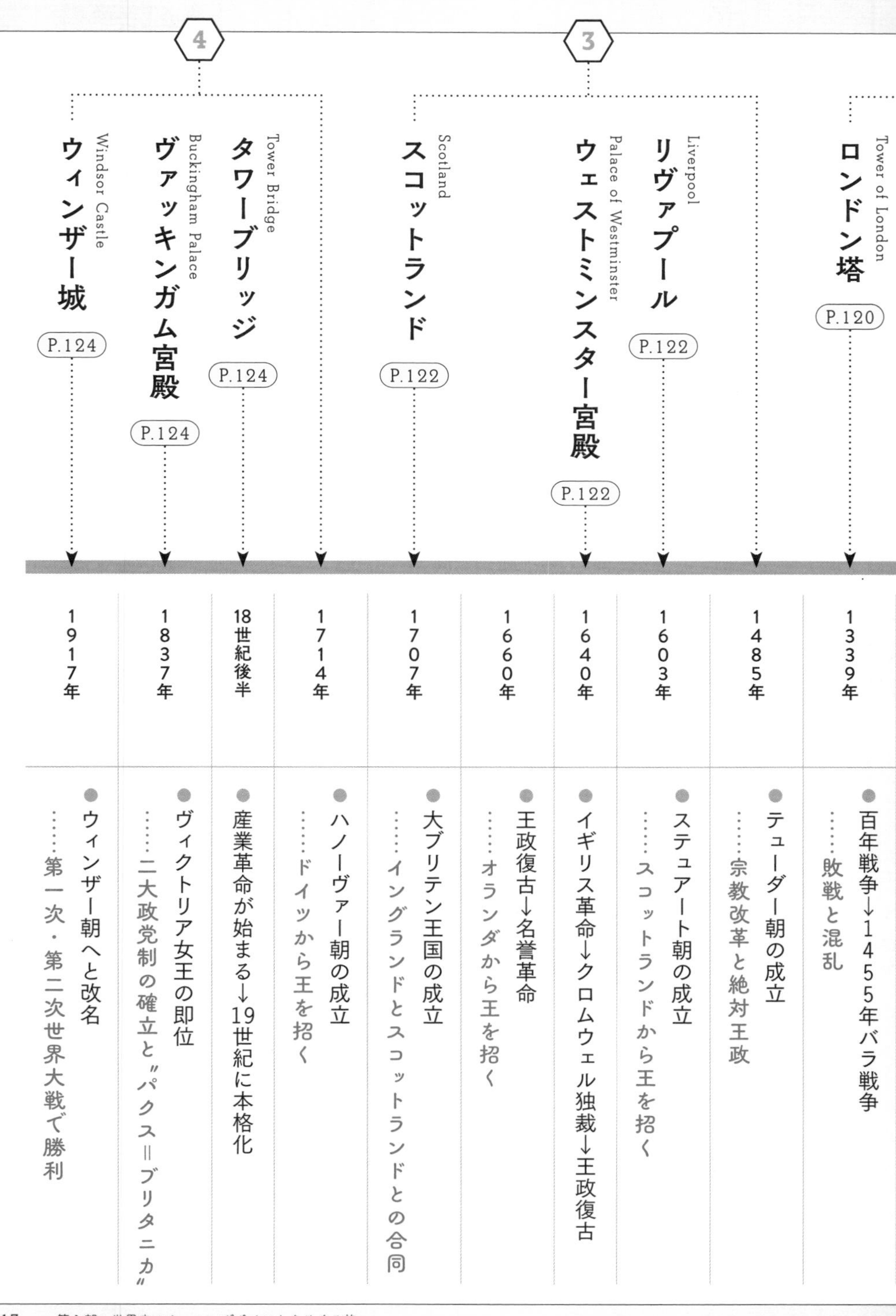

4
3
ロンドン塔
Tower of London
P.120
リヴァプール
Liverpool
P.122
ウェストミンスター宮殿
Palace of Westminster
P.122
スコットランド
Scotland
P.122
タワーブリッジ
Tower Bridge
P.124
ヴァッキンガム宮殿
Buckingham Palace
P.124
ウィンザー城
Windsor Castle
P.124
1339年
百年戦争→1455年バラ戦争
……敗戦と混乱
1485年
テューダー朝の成立
……宗教改革と絶対王政
1603年
ステュアート朝の成立
……スコットランドから王を招く
1640年
イギリス革命→クロムウェル独裁→王政復古
1660年
王政復古→名誉革命
……オランダから王を招く
1707年
大ブリテン王国の成立
……イングランドとスコットランドとの合同
1714年
ハノーヴァー朝の成立
……ドイツから王を招く
18世紀後半
産業革命が始まる→19世紀に本格化
1837年
ヴィクトリア女王の即位
……二大政党制の確立と〝パクス=ブリタニカ〟
1917年
ウィンザー朝へと改名
……第一次・第二次世界大戦で勝利

The United Kingdom

1

ソールズベリー、スコットランドの長城、ウェストミンスター寺院

Salisbury, Hadrian's Wall / Antonine Wall, Westminster Abbey

POINT

ソールズベリーの近郊にある有名なストーンヘンジ。先史時代の遺跡とされ、時代的にはピラミッドの造営と時を同じくする。紀元前1世紀にローマの将軍カエサルが2度にわたり上陸したブリテン島の歴史を味わう――

●古代からノルマンの征服まで

前1世紀にはカエサルが本格的な征服を始めますが、北部のスコットランドまでは及ばず、その国境とされる場所には五賢帝*3・4番目の皇帝の名の長城が残されています。また、ローマ風都市としてロンディニウム（現在のロンドン）が建設されました。

5世紀頃、ゲルマン系のアングロ・サクソン人が大量に移住、ブリテン島は7つの国（七王国）の時代を迎えます。その後、829年にはロンドンを首都としたウェセックス王エグバートが全イングランドを統一し、**9世紀末にイングランドに侵入してきたデーン人を撃退したアルフレッド大王の時に全盛期**を迎えました。そして、1066年にサクソン人の王の没後に後継者争いが起こり、北フランスの諸侯だったノルマンディー公ギョーム（英語だとウィリアム）が勝利した（ノルマン征服）。そして、ウェストミンスター寺院にてウィリアム1世として即位、ノルマン朝を創始。彼は征服に活躍した騎士たちに土地を分配して諸侯として報じる代わりに徴税を義務付けることでフランスとは違う集権的封建国家を確立しました。

図解ストーンヘンジ

トリリトン
約6～7メートルのサーセン石の石組。馬蹄形に5つ並ぶ。

ブルーストーン（円形）
サーセン石のサークルの内側には、60個の立石が環状に並ぶ。

ブルーストーン（馬蹄形）
トリリトンの内側に馬蹄形を成して並ぶ19個の石。

サーセン石
高さ約4.5メートルの柱石30個が環状に並べられ、横石によって両隣の柱石と結合している。

祭壇石
ストーンヘンジの中心部には、ガーネットの微粒子を含む砂岩が置かれている。

世界史の目

ソールズベリー

ストーンヘンジ

イングランド南西部の街。古代ケルト人の太陽神殿や、『アーサー王物語』とも関係しているなどの逸話が多いストーンヘンジはこの街の郊外にある。また、ソールズベリー大聖堂の図書館にはマグナ＝カルタの現存する原本がある。この街は幽霊が出るとして昔から有名で、「ゴースト・ツアー」なるものがあり意外に怖い！

世界史の目

スコットランドの長城

ハドリアヌスの壁

ケルト人に対するローマ帝国の国境線を防御する土壁。現在のイングランドとスコットランドの国境付近にあるが、南側は五賢帝第３代のハドリアヌスが、北側が４代のアントニヌス＝ピウスが築城。前者はしっかり残されていて景色もいい。防御壁の上を走ることはできるが滑るので要注意。

世界史の目

ウェストミンスター寺院

最後のサクソン王であったエドワード懺悔王（ざんげおう）が建設したゴシック建築（のちに改築）。幾人かを除くイギリスの歴代王はここで戴冠式（たいかんしき）を行っている。また、多くの有名人が埋葬されている。中世～近代のイギリス国王の多くはもちろん、ニュートン・ダーウィン・リヴィングストン・グラッドストン・ピットなど世界史好きにとってはドキドキするメンバーが眠っている。

The United Kingdom

2

カンタベリー大聖堂、オクスフォード、ロンドン塔

Canterbury Cathedral, Oxford, Tower of London

POINT

プランタジネット朝創始者・ヘンリ2世は、父が仏西部の大諸侯、母がイギリス王の娘、妻は仏南西部の大諸侯の一人娘。イギリス王でありながらフランス領西半分を領有したその後の歴史の空気を感じる——

●プランタジネット朝からテューダー朝へ

ヘンリ2世時代の後、ヘンリ2世の子で、第3回十字軍で活躍したリチャード1世（獅子心王）の弟であった**ジョン王は、カンタベリー大司教叙任権問題でローマ教皇から破門され、フランス王との戦いに敗れて大陸英領を失いました**（なのであだ名は「失地王」）。

こうした失政に反発した貴族が「マグナ＝カルタ（大憲章）」*を承認させたことで、〝国王も法に従う〟という原則が生まれ、その後の立憲主義の基盤となりました。

その後、オクスフォードで起きた貴族の反乱をきっかけに聖職者・大貴族に加え、州騎士・都市市民の代表も議会に参加することとなり、これが現在のイギリス議会の基礎となったのです。

フランス王位継承問題から発展した百年戦争*では当初の優勢を逆転されて敗北、まもなく国内の王位継承問題からランカスター家（紋章赤バラ）とヨーク家（紋章白バラ）による内戦が起こります。

このバラ戦争は30年間続きますが、ランカスター系のヘンリ＝テューダーがこの戦争に終止符を打ち、テューダー朝*を創始しました。約150年間における2つの戦争で多くの諸侯や騎士が没落したことや、ヘンリ8世の宗教改革によりカトリックから自立したことで、カトリック下の修道院を没収し、国家財源にできたことで官僚制や常備軍を設置することができたこともあり、この王朝において絶対王政期を迎えることになるのです。

イギリス史の闇を語り継ぐロンドン塔

世界史の目

カンタベリー大聖堂

６世紀末にローマ教皇によるブリタニア布教の拠点となったことで大司教区が置かれた。ウィリアム１世の時にロマネスク建築として大聖堂が造営された。中世ではイングランド内の巡礼地とされ、チョーサー著作『カンタベリー物語』の舞台ともなっている。ちなみに、12世紀にはゴシック様式に再建された。とても荘厳さを感じる建物である。

世界史の目

オクスフォード

オクスフォード大学

オクスフォード大学中心の街。12世紀創設。オクスフォード大はカレッジ（学寮）制をとっていて、多くのカレッジが点在する。ピューリタン革命中にチャールズ１世がロンドンを追われ、宮廷が置かれたこともある。英国国教会とローマ＝カトリックを和解させようとするオクスフォード運動は有名。

世界史の目

ロンドン塔

ロンドンのイースト・エンドにある中世の要塞だが、国王の居城としても使用されていた。15世紀頃から監獄として使用されるようになり、ランカスター朝最後の王・ヘンリ６世をはじめ、バラ戦争に関わった王族やエリザベス１世の母アン＝ブーリンなどヘンリ８世の宗教改革期には多くの関係者がここで処刑されている。現在は儀礼的なことに使う武器保管庫となっている。

The United Kingdom

3

リヴァプール、ウェストミンスター宮殿、スコットランド

Liverpool, Palace of Westminster, Scotland

POINT

離婚問題でローマ教皇と対立したヘンリ8世はカトリックから自立を宣言し、イギリス国教会を創設。その際にカトリックの修道院を解散させ、その所領を没収。それを財源とした絶対王政の内情を覗く——

● 絶対王政の時代

ヘンリ8世の後、娘のエリザベス1世の時にイギリス国教会が確立。英国王を首長とし、教会を国家の管理下に置くものの、カトリックと同様に聖職階層制は維持しました。この時代、**毛織物工業により資本主義の基盤が作られ、対外的にはフェリペ2世率いるスペイン無敵艦隊を撃退し（アルマダの海戦）、大西洋の覇権を握る一歩を踏み出した**のです。

1603年にエリザベス1世が亡くなり、子がなかったことから、血縁であるスコットランド王をイングランド王に迎えることになりました（ステュアート朝の始まり）。国王は王権神授説とイギリス国教会を強制したため、議会（ピューリタン：カルヴァン派が多い）との対立を生みます。その結果、王党派と議会派との内戦（イギリス革命［ピューリタン革命］）が起こりました。1649年に国王チャールズ1世は処刑され、軍人クロムウェルよる共和政・独裁政治となりました。約10年後に王政に戻りますが、再び専制政治となったため、議会は国王を追放し、オランダに嫁いでいた時の国王の娘とその夫を国王に迎え、英蘭の同君連合となりました。国王の血が流れなかったことから、この出来事を〝名誉革命〟と呼んでいます。

1707年のアン女王の時代には、**イングランドがスコットランド議会を完全併合し、「大ブリテン王国」が成立**しました。

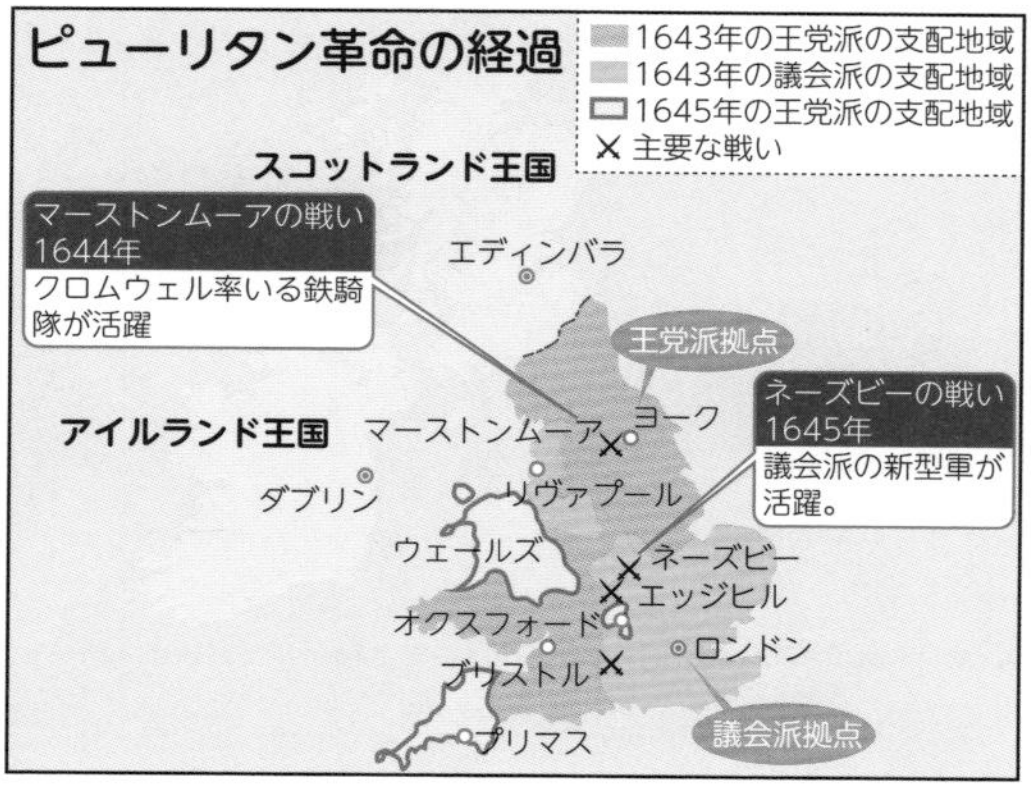

ピューリタン革命の経過

世界史の目

リヴァプール 📷街並み

中世に自治権を獲得、大航海時代には南西部にあるブリストルとともに奴隷貿易として繁栄した港湾都市。産業革命以降、綿工業の中心地マンチェスターと鉄道で結ばれたため、世界的な貿易港に。プレミアムリーグのリヴァプールファンやビートルズファンにはたまらない街だ。

世界史の目

ウェストミンスター宮殿

ノルマン朝時代に建造されたテムズ川河畔にある現在はイギリス国会議事堂として使用されている宮殿。エリザベスタワー（時計塔）を持つ大鐘が隣接する。この宮殿の目の前のロータリーにはクロムウェル像がある。ここから10分ほど歩いたホワイトホール・バンケティングハウスの庭先でチャールズ１世の処刑は行われた。

世界史の目

スコットランド

📷エディンバラ城

高台に王宮を頂く、首都はエディンバラ、商業都市として繁栄したグラスゴー、北部の湖水地方と中世期の古城など多くの観光地を持つ美しい地域。レンタカーで回りたいが日帰りツアーもある。タータン（多色の糸で綾織りした格子柄の織物）やバグパイプなどの独特の文化も楽しめる地域でもある。

The United Kingdom

4

タワーブリッジ、バッキンガム宮殿、ウィンザー城

Tower Bridge, Buckingham Palace, Windsor Castle

POINT

アン女王にも子がなかったことから、遠縁のドイツ・ハノーヴァー侯をイギリス国王に招くことになったのがハノーヴァー朝のはじまり。強大な植民地帝国であったイギリスに、アクチュアルな視線を向ける――

●植民地帝国から現在まで

招かれた国王は英語が苦手で政治に興味がなく、政治の実権は内閣が持ちました。〝国王は君臨すれども統治せず〟という名言が生まれ、責任内閣制が完成していきます。そして**産業革命の進展や植民地戦争での勝利が背景となり、ヴィクトリア女王の時代、〝パクス＝ブリタニカ（イギリスによる平和）を現出**させ、国内では二大政党制が確立します。1851年にはロンドンで初の万国博覧会が開催され、シティ地区は世界の金融の中心となっていきました。

19世紀後半から財政負軽減のために自治領（カナダ・オーストラリアなど）が登場する一方、二つの世界大戦で戦勝国になったものの、**世界の主導権が米ソに移ったこともあり、植民地で民族・独立運動が活発化し、多くの植民地を失いました。**現在はEU*から離脱したことによる北アイルランド問題が再燃し、経済的にも政治的にも困難を抱えています。ちなみに、「ハノーヴァー」が第一次世界大戦敵国ドイツの諸侯（しょこう）名であったこともあり、王室所有の城（町）の名前からウィンザー朝と改名し現在に至ります。

ヴィクトリア朝期の植民地

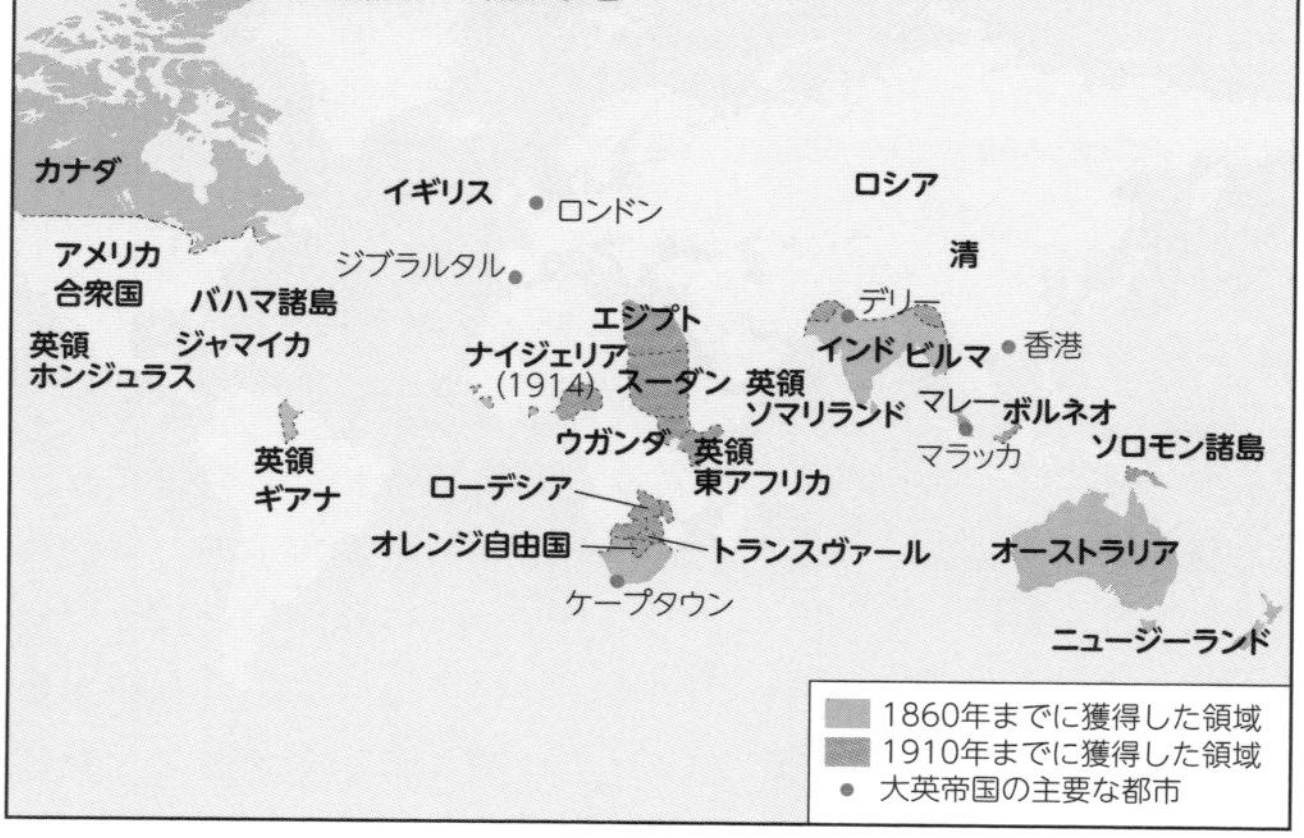

世界史の目

タワーブリッジ

19世紀半ばのコレラ大流行は、工業廃水によるテムズ川の汚染が一因だった。川の浄化と橋建設の要望で大型船の航行が可能な跳ね橋（当時は蒸気機関で開閉を行う）が生まれた。これが有名な”タワーブリッジ”で19世紀末に完成している。すぐ、上流には「ロンドン橋落ちた」の民謡で有名なロンドン橋がある。

世界史の目

ヴァッキンガム宮殿

あの独特な近衛兵の交代を見るためだけに訪れる日本人が絶えない宮殿である。この宮殿の正面玄関からまっすぐに延びる道は、セント・ジェームズ・パークとナポレオンを２度も破った海軍提督ネルソンの像が立つトラファルガー広場に繋がる。ちなみに、国王が宮殿にいる時には宮殿の屋上に王室旗が掲げられる慣習があるので注意して見たい。

世界史の目

ウィンザー城

ロンドンの西30㎞にある英国王公邸の１つで国王が週末に過ごす場所としても有名。ウィリアム王子の結婚式はウェストミンスター寺院で行われたが、ヘンリ王子の結婚式はこの城に付属している聖ジョージ教会で行われている。城の裏手にあるグレート・パークからの眺めは、まさに”インスタ映え”の光景である。

聖ワシリイ大聖堂。ロシアの首都、モスクワの赤の広場にあるロシア正教会の大聖堂。ロシアで最も美しい聖堂の一つと言われ、1990年にユネスコに登録された。

第2部

絶景からダイナミックな歴史を感じる旅

Belgium & Netherlands
ベルギー&オランダ

Czech Republic
チェコ

Hungary
ハンガリー

Former Yugoslavia
旧ユーゴスラヴィア（バルカン半島）

Greece
ギリシア

Israel & Jordan
イスラエル&ヨルダン

Iran
イラン

Peru & Bolivia
ペルー&ボリビア

Mexico
メキシコ

絶景案内

ベルギー＆オランダ

Belgium & Netherlands

1

グラン＝プラス

Grand Place

政治と商業が交差してきた、「世界で最も美しい広場」

ベルギー北西部には可愛らしい中世の街並みを運河ツアーで堪能できるブリュージュがあり、北部にはダイヤモンド研磨の聖地として、また日本では『フランダースの犬』の舞台になったルーベンスの絵画のある教会で有名なアントウェルペン（英：アントワープ）があります。

ブリュッセル中央駅から歩いてすぐのところにある「グラン＝プラス（大広場）」には、12世紀頃からヨーロッパの商工業者が結成したギルド（同業者組合：利益分配や相互扶助などが目的）の建物が「ギルドハウス」という名で残されています。また、ベルギーが植民地にしたアフリカから輸入したカカオを使ってチョコレート販売を行ったことから、現在でもここにゴディバなどの有名チョコレート会社が軒を連ねています。さらに、**この広場のシンボルとなっている旧市庁舎は15世紀に建造されたゴシック建築で、**

ベルギーの言語分布

Pick up

ベルギーの言語問題（フランデレン問題）

第二次世界大戦後においては、ベルギーの首都ブリュッセルに、EU（ヨーロッパ連合）・NATO（北大西洋条約機構）の本部が置かれ、ヨーロッパの経済・政治の中枢を担っています。現在、北部のオランダ語圏（ワロン地域）と南部のフランス語圏（フランデレン地域）において分離主義が台頭しています。

Theme

欧州の中枢・ベルギー

中世は毛織物業で繁栄したフランドル地方にあたり、フランス領内のブルゴーニュ家の支配下にありました。15世紀末にオーストリア＝ハプスブルク家の支配になり、まもなくスペイン領となります。1568年からのオランダ独立戦争*ではカトリックが多い南ネーデルラントはスペインに降伏、独立は果たせませんでした。17世紀にはルイ14世時代のフランス軍の侵攻（南ネーデルラント継承戦争*）を受けて一部領土を失います。その後、オーストリア領となり、19世紀初めのウィーン会議でオランダ領に編入されますが、**1830年にフランスで起きた七月革命*の影響で、オランダからの独立に成功し、ベルギー王国となりました。**

独立後にまもなく、豊富な水資源と地下資源を利用し、イギリスについでヨーロッパの大陸では初めて産業革命が起こります。この影響で産業資本家が台頭、植民地拡大が要望される中、19世紀後半の国王レオポルド2世時代にアフリカのコンゴに植民地帝国を設立しました。

外交的には永世中立を維持していましたが、第一次世界大戦ではドイツの侵攻を受けました。さらに、第二次世界大戦でもナチス＝ドイツの侵攻を受け、苦難の時代を迎えました。

その反対側にある「王の家」はブラバント公の行政庁が置かれていました（スペインによるネーデルラント支配の中心）。19世紀のフランスの文豪ヴィクトル・ユーゴーが「世界で最も美しい広場」と絶賛したことは有名です。

ベルギー&オランダ

Belgium & Netherlands

2

キンデルダイク風車群

Kinderdijk

17世紀オランダの繁栄を象徴する風車群

ネーデルラントは「低地地域」を意味していて、現在のオランダ・ベルギー・ルクセンブルクにあたります。特にオランダは湿地帯が多く、中世半ばから始まった大開墾運動の一環として、水を汲み上げて干拓地を造るようになりました。これがきっかけで、**海運業が繁栄し、17世紀は海洋国家を形成します**。その後、運河に沿って、干拓地の排水を行うために18世紀頃からたくさんの風車が造られるようになりました。

オランダの首都アムステルダムから約2時間、ロッテルダムの郊外にある2つの川に挟まれた村（地区）がキンデルダイクで、世界遺産にも登録されています。もともと運河に水を流すことは地盤沈下を引き起こしたため、風車のポンプを利用して、水面の高さの維持を図りました。数台の風車とトルコから輸入した色とりどりのチューリップ畑で有名なのは、オランダ・スキポール空港から30分のところにある「ザーンセスカン

ス」。ここは、西欧でも最も古い工業地帯で、18世紀には600基以上の風車があったと言われています。

フェルメール／牛乳を注ぐ女

Pick up

オランダの芸術家

アムステルダムが世界の商業の中心となった頃、文化面でも黄金期を迎え、画家のレンブラントやフェルメール、哲学者のスピノザ、平和思想家グロティウスらが活躍しています。左の絵は、オランダを代表する画家・フェルメールの代表作の1つです。

Theme

文化的にも大繁栄した海洋帝国

オランダ独立戦争では、北部7州においてユトレヒト同盟*が結成され、まもなくネーデルラント連邦共和国の独立が宣言されました。その後、1648年のウェストファリア条約においてスイスとともに国際承認されています。

オランダ独立戦争の際にアントウェルペンが破壊され、多くの商工業者が移り住んだこともあり、アムステルダムは世界の商業の中心となりました。さらに積極的な植民活動を展開し、インドネシアや台湾、南アフリカ（ケープ植民地）、ニューヨーク（当時はニューアムステルダム）、カリブ海の島々を植民地にします。

しかし、クロムウェル率いるイギリス軍との戦争に敗れて以降、世界覇権はイギリスへ移りました（17世紀末にはイギリスとの同君連合も成立）。ナポレオン戦争*では一時フランス軍に占領され、ナポレオンの弟ルイがオランダ王となりますが、ナポレオン失脚後、オランダ立憲王国となりました（「オランダ」の名前は、独立の中心となった「ホラント州」が由来）。第一次世界大戦では中立を維持しましたが、第二次世界大戦ではナチス=ドイツに占領されます。戦後はベルギーとともにECの原加盟国となりました。ハーグには国際司法裁判所が置かれています。

チェコ

プラハ
Prague

「黄金のプラハ」を散策

中世後期にローマ、コンスタンティノープルと並びヨーロッパ最大の都市となったチェコの首都プラハを形容して「黄金のプラハ」と呼んでいます。14世紀半ば、ベーメン王と神聖ローマ皇帝も兼任したカール4世（ベーメン王カレル1世）が帝国の首都をプラハに移し、9世紀に築城されたプラハ城を拡張、ゴシック様式の大聖堂を設立し、現在の街並みを造りました。また、城側と旧市街を結ぶカレル橋を建設、のちに宗教改革の先駆者ヤン＝フスが教授をつとめたプラハ大学を創設しました。中世末～近世にかけて起きたフス戦争*やドイツ三十年戦争*で街は衰退、さらにハプスブルク家の支配下で王宮がウィーンに移されるとプラハの人口は激減し、繁栄は終焉していきました。

スラヴ系のチェック人はゲルマン人に対するアイデンティティが強く、それは19世紀に活躍した音楽家スメタナやドヴォルザークの民族音楽にも表れています。また、旧市

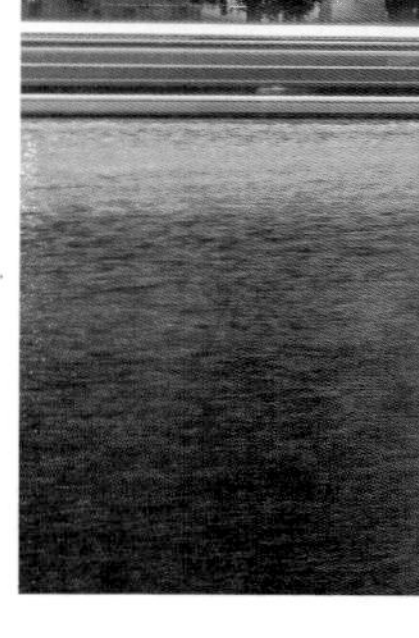

街に立つ火薬塔（尖塔）がアクセントとなっている「百塔の街」らしさも絶景です。1968年に起きた「プラハの春」で旧ソ連軍らが戦車で美しいこの旧市街を破壊している映像は見るに堪えがたいモノがありました。

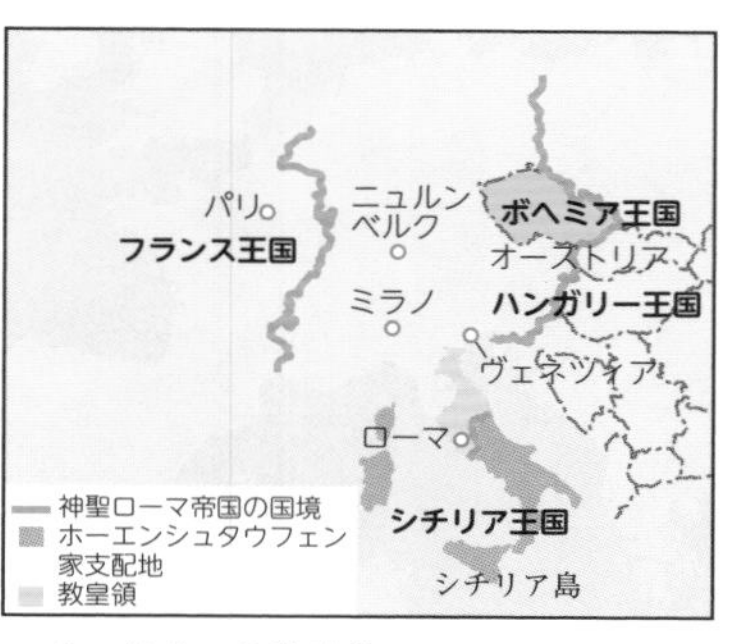

フリードリヒ２世時代の
神聖ローマ帝国とボヘミア王国

Pick up

王国の誕生まで

西部の盆地はベーメン（ボヘミア）、東部の丘陵はメーレン（モラヴィア）と呼ばれました。４〜５世紀にゲルマン人が大移動し始めると、この地域には西スラヴ系のチェック人が定着、９世紀にモラヴィア王国を建国します。10世紀にプシェミスル家がベーメン王国を建国し、その後、カトリックを受容しました。

Theme

芸術の都・プラハの原点

11世紀には神聖ローマ帝国*の領邦（諸侯）となり、14世紀からドイツ系のルクセンブルク家による統治が行われ、ドイツ化が進みました。そして、神聖ローマ皇帝カール4世に即位したベーメン王カレル1世の時代に、ベーメン王国は最盛期を迎えることになったのです。

15世紀初め、プラハ大学の教授ヤン＝フスが聖書主義を唱え、世俗化したドイツ系カトリックを教会から追放したことでローマ教皇に破門され、のちに火刑となりました。このヤン＝フスの像は現在プラハの旧市街に立てられています。それに対して、彼の支持者たちは反カトリック・反ゲルマンを掲げ立ち上がり、フス戦争を起こしました。この終結の翌年に、ルクセンブルク朝は断絶、ハプスブルク家の支配下に置かれることとなりました。この頃、帝国の首都となったプラハには多くの文化人や芸術家が集まり、文化的な繁栄を見せます。しかし、1618年にプラハで起きたカトリック王によるプロテスタント弾圧をきっかけに、ドイツ三十年戦争が起きます。ベーメンはプロテスタント側に味方したスウェーデン軍の侵攻を受け、荒廃してしまいました。さらに戦後、王宮がウィーンに移され、プラハは衰退の一途をたどりました。

チェコ

Czech Republic

2

チェスキークルムロフ

Cesky Krumlov

「中世期にタイムスリップしたような光景」を味わえる場所

プラハとウィーンを両方観光する際の中間地点にあたるため、1年中観光客で賑わっています。特に毎年6月に開催される〝バラの祭典〟では、中世風の格好をした住民が観光客を出迎え、騎士競技や定期市なども開催されます。

この街並みや城・橋は、14世紀初めに統治者となったローゼンベルク家の下で造られました。16世紀の全盛期には、街全体が色鮮やかで華やかなルネサンス様式の建造物へ生まれ変わりましたが、一方でローゼンベルク家は財政破綻を来し、街はハプスブルク家（ドイツ系）の手に渡りました。その後、支配者をころころ替えながら、城をはじめとする多くの建造物はバロック様式に改築されていきます。

この地方はチェコ系よりもドイツ系住民が多かったこともあり、ナチス＝ドイツはドイツ語圏地域として併合すると、中世の街並みや建造物の多くが破壊されてしまいまし

た。戦後は多くのドイツ系住民が追放され、さらに共産主義化したことで文化遺産は否定され、街は荒廃しました。

しかし、1989年の民主化革命以降、観光地として復活し、今に至ります。

モルダウ（ヴルタヴァ）川

Pick up

パン＝スラヴ主義の芸術

民族主義や国民主義が台頭する中で、オーストリアではパン＝スラヴ主義が勃興、チェコにおいては、文化人がそれを先導しました。画家のミュシャのアール・ヌーボー絵画や音楽家スメタナの「『我が祖国』よりモルダウ」、ドヴォルザークの「新世界より」などの民族音楽が生まれています。

Theme

国家と民族

ハプスブルク帝国では、ドイツ語とチェコ語はともに公用語とされたものの、ドイツ系住民が多い地域の増加により、反対にチェコ人の民族意識が芽生えていきました。そして19世紀、ヨーロッパ各地で民族主義や国民主義が台頭します。

第一次世界大戦後、オーストリア＝ハンガリー帝国は解体し、チェコスロヴァキア共和国が独立。周辺の東欧諸国では独裁国家が生まれる中、議会主義を堅持し「東欧の優等生」とも呼ばれました。しかし、ナチス＝ドイツが民族自決を理由に、チェコスロヴァキア領内のドイツ系住民の住む地域を併合し、最終的にベーメンとメーレンはドイツに併合、スロヴァキアはドイツの保護国となりました。

1945年、ソ連軍により解放されると、ドイツ系住民が追放されるとともに、ソ連主導の共産化が進みました。1968年には共産党第一書記に就任したドゥプチェクが「人間の顔をした社会主義」を掲げ、資本主義の一部導入や言論の自由などの改革を進めます（**プラハの春**）が、鎮圧されます。そして、1989年の民主化革命（**ビロード革命**）により、共産党体制が崩壊、1993年にはチェコとスロヴァキアが連邦を解消し、現在のチェコ共和国が成立しました。

ハンガリー

Hungary

1

ブダペスト

Budapest

「ドナウの真珠」、ブダペストの夜景

ドナウ川西岸にある「ツィタデッラ」という見晴らしの良い丘。19世紀半ばにできた城塞で現在は市民の憩いの場です。美しい夜景が広がりますが、この光景には様々な歴史が刻まれていることを知っておくと旅はより楽しいモノになるでしょう。

左手に見えるブダ王宮はモンゴル軍・オスマン軍の攻撃で何度も破壊され、その後ハプスブルク家の手でバロック様式の建造物として再建されました。その王宮に隣接するマーチャーシュ教会は11世紀にハンガリー王国建国時に建造された起源をもち、19世紀後半にオーストリア皇帝フランツ＝ヨーゼフ1世と妃エリザーベトがハンガリー皇帝・皇妃としての戴冠された場所でもあります。その対岸にある世界で三番目に大きいとされる国会議事堂は19世紀後半にハンガリー王国に自治権が与えられた際にハンガリーの独立性を示すために建造されたもの。議事堂の中庭には1848年の*ハンガリー革命を

主導したコシュートの像があり、歴史の深さが感じられます。そして、その両岸を繋ぐ「くさり橋」はこの革命の鎮圧後に完成したもので、王宮と政府を結び付けるという意味で歴史の転換を感じることもできます。

セイチェーニ温泉

Pick up

ハンガリーの起源

1世紀にローマ帝国が属州化した「パンノニア」が現在のハンガリーの起源です。ゲルマン人との抗争地であったため、多くの兵士の傷を癒した湧き湯の存在でハンガリーが温泉国になったとされる説があります。写真は、ハンガリー最大の温泉、セイチェーニ温泉です。

Theme

城塞が語る過去の争い

ドナウ川中流域のパンノニア平原は、農業に適した土地であり、西走してきた遊牧民の多くがこの地に定着しました。5世紀にはフン人、6～7世紀にはアヴァール人、9～10世紀にはマジャール人がここに住みつきました。マジャール人は、10世紀半ばに*東フランク王国に侵入しますが、オットー1世に敗れ、ここにハンガリー王国を建設するとともに、ローマ＝カトリックを受容していきました。この頃から前述した遊牧民らと現地のスラヴ人やドイツ人などが混血し、現在のハンガリー人となったのです。

11世紀にイシュトヴァーン1世によって建国されたハンガリー王国は、その後現在のスロヴァキアやクロアチアやルーマニアの一部をも支配下に収めました。しかし13世紀半ば、モンゴル軍に侵略され、多くの被害を受けます。それを教訓に、各地の領主たちは城塞を築くようになりました。そして、**15世紀のマーチャーシュ1世の時代にハンガリーは最盛期を迎えることになります。**その後、バルカン半島に進出してきたオスマン帝国軍との戦い（1526年：第一次モハーチの戦い）で破れ、国王ラヨシュ2世は戦死、その後オーストリアのハプスブルク家が王位を継承することとなりました。

ハンガリー

Hungary

2

ホッローケー

Hollókő

歴史的な伝統ある農村が多い、風光明媚の地

ハンガリーと言えば、温泉とワインというイメージがあります。ブダペスト市内にあるセイチェーニ温泉やハンガリー北東部にある世界的なワインの産地・トカイ地方が有名です。このような伝統ある農村の1つが、首都ブダペストから北へ車で1時間ほど行ったところにある「ホッローケー村」です。「ハンガリーで最も美しい村」として評される伝統的な古民家が立ち並んでいます。日本でたとえるなら、さながら「合掌造りで有名な白川郷」でしょうか…。

この村を見下ろすことができる丘には城跡が残っていて、13世紀にモンゴル帝国の再来に備えて建造された城塞の1つで、この地域だけで50弱の城が建設されたとされています。これらの城塞は、15世紀のフス戦争*でも使用されましたが、オスマン帝国*の支配で城は荒廃してしまいました。この周辺に住む人々はモンゴル軍の侵攻の際にカスピ海沿

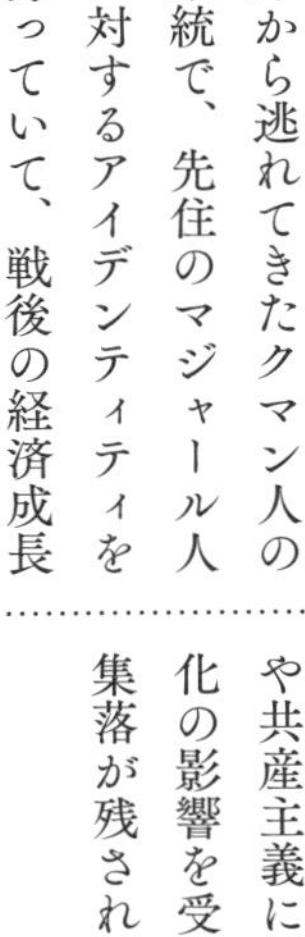

岸から逃れてきたクマン人の系統で、先住のマジャール人に対するアイデンティティを持っていて、戦後の経済成長や共産主義による農業の集団化の影響を受けず、伝統的な集落が残されました。

マーチャーシュ教会

Pick up

オスマン帝国追撃で活躍したオイゲン公

領土の4分の3がオスマン帝国に支配されていたハンガリー王国ですが、将軍オイゲン公の活躍によりオスマン帝国を追撃しました。このオイゲン公の騎馬像が、左の写真のマーチャーシュ教会そばの国立美術館の正門前にあります。ちなみに、ウィーンにあるベルヴェデーレ宮殿はそのオイゲン公の夏の宮殿でした。

Theme

悲願の独立へ

15世紀半ばからオスマン帝国に支配されましたが、17世紀後半、第二次ウィーン包囲に失敗したオスマン帝国軍を追撃します。1699年のカルロヴィッツ条約でハンガリーのほぼ全域がオーストリア領に編入されることとなりました。

1848年の二月革命（パリ）の影響でハンガリー革命が起き、コシュートによるハンガリー独立宣言がなされますが、ロシア・オーストリア軍により鎮圧されます。しかし、プロイセン＝オーストリア戦争に敗れ、ドイツ統一から排除されたオーストリアの弱体化に対し、ハンガリーではさらに民族運動が高まっていきました。1867年に自治権の拡大を認められ、オーストリア皇帝がハンガリー国王を兼任する形で王国が復活、時のオーストリア外相のハンガリー人アンドラーシがハンガリーの初代首相となりました。

第一次世界大戦後、ハンガリーは正式にオーストリアから独立したものの、第二次世界大戦でドイツとともに敗戦国になり、戦後はソ連主導下で共産主義化されました。1956年のハンガリー動乱ではソ連軍などの侵攻を受けて多くの市民が殺害され、街は破壊されました。その後はソ連に従順な共産主義国の歴史を歩み、1989年に民主化が実現されたのです。

旧ユーゴスラヴィア（バルカン半島）

Former Yugoslavia

1

ドゥブロヴニク

Dubrovnik

「アドリア海の真珠」を堪能

アジアとの東方貿易を担った中世ヨーロッパの五大海洋共和国の1つ「ラグーサ共和国」。ヴェネツィア共和国が「アドリア海の女王」と呼ばれたのに対し、街の美しさから「アドリア海の真珠」と呼ばれました。それが現在のクロアチア共和国最南端・ドゥブロヴニク旧市街です。15～**16世紀には隆盛しましたが、17世紀後半の大地震で街は崩壊。**大航海時代に大西洋沿岸が貿易の中心に移ったことも衰退の一因でした。19世紀前半からはオーストリア＝ハンガリー帝国（ハプスブルク家）の支配を受け、徐々に観光地化していきます。観光目玉の1つ、城壁歩きの「城壁」はこの時整備されました。

20世紀にユーゴスラヴィアの1都市となり、1979年には世界遺産に登録されましたが、90年代のボスニア内戦*で悲劇が襲います。1991年にクロアチア共和国が独立を宣言すると、セルビアを中心とした新ユーゴ軍の7カ月にわたる砲撃にさらされました。石畳や建物のタイルの色の違いなどから損傷の大きさが分かります。一時、危機遺産にも登録されましたが、内戦後は急速に復興し、ジブリアニメの舞台にもなり多くの人に知られる魅力的な街に復元されたのです。

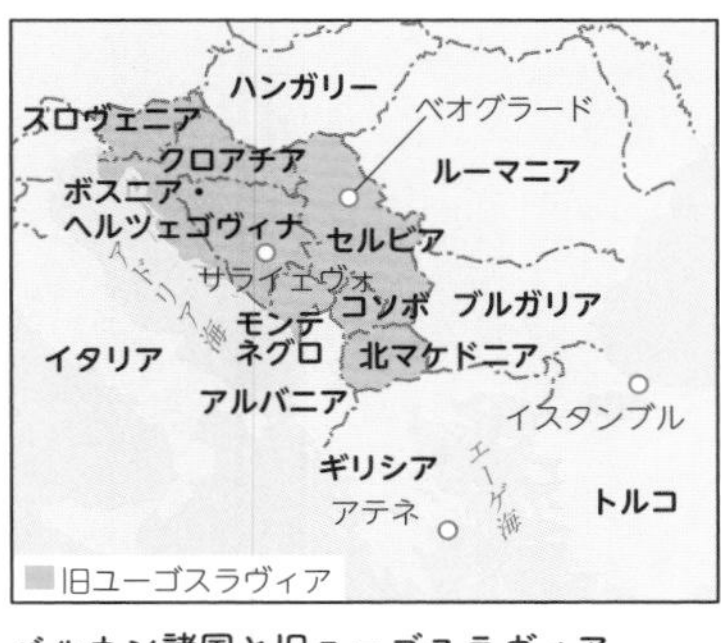

バルカン諸国と旧ユーゴスラヴィア

Pick up

バルカン半島の諸相

バルカン半島はローマ東西分裂後に東ローマ帝国の支配下に入りました。旧ユーゴスラヴィア構成民族の大半が南スラヴ系ですが、スロヴェニア・クロアチア人はローマ＝カトリックを信仰、セルビア・モンテネグロ・マケドニア人は東方正教会を信仰し、これが現代における宗教・民族紛争にも繋がっています。

Theme

深刻な民族紛争、その根源とは

南スラヴ人達が7世紀頃にカルパティア山脈を越えて南下してきた後、12世紀にはアドリア海沿いでは海洋都市共和国が繁栄し、内陸ではギリシアを除くバルカン半島北部をセルビア王国が支配しました。しかし、14世紀末にバルカン半島に侵攻してきたオスマン*帝国に大敗後、バルカン半島はイスラーム勢力の支配下に入りました。この際、一部の人々（アルバニア系住民やボシュニャク人など）がイスラーム教に改宗しています。ただ、オスマン帝国では宗教寛容政策がとられていたため、多くの教会は破壊されずに残されました。

18世紀頃からオスマン帝国が衰退し始めると、バルカン半島各地でスラヴ人による独立運動が起こるようになりました。これらは不凍港を求めて地中海へ南下しようとする同じスラヴ系のロシア帝国の介入を招き、オスマン帝国は領土を縮小させていくこととなったのです。1878年のベルリン会議でセルビア・モンテネグロ・ルーマニアが独立を認められたものの、セルビアの隣国ボスニア・ヘルツェゴヴィナはその後オーストリアに軍事併合されました。このことは、ボスニア・ヘルツェゴヴィナとセルビア共和国に住むセルビア人の民族主義（大セルビア主義）に火をつけることになったのです。

旧ユーゴスラヴィア
（バルカン半島）

Former Yugoslavia

2

スタリ・モスト「古い橋」

Stari Most

民族・宗教共存の難しさを物語る橋

「スタリ・モスト」のあるモスタルは、ボスニア・ヘルツェゴヴィナ共和国の首都サライェヴォから車で2時間の山間にあります。橋の夜景を見ながら、民族・宗教共存の難しさを語り合うのもよいかもしれません。

16世紀半ば、**オスマン帝国**全盛期のスレイマン1世が、ここにかかっていたつり橋に代わる頑丈な石橋を造るように命じたとされています。**このアーチ橋は場所的にも高さ的にもかなり高度な技術で造られいて、そこには謎が多いのですが、トルコ・イスラーム文化の傑作と言ってよいでしょう。**その美しい姿を橋の下の川べりから撮影するとまさに〝絶景〟。

しかし、**1992年に始まったボスニア紛争の際、右岸のクロアチア系民族主義者（カトリック）が、ボスニア人（イスラーム教徒）の伝統文化であるこの橋を破壊しました。**ボスニャック人が少し住む右岸とボスニャック人中心の左岸の連絡を途絶えさせるための行為でした。5年続いた内戦が終わり、和解の象徴としてユネスコ支援でこの橋の再建が行われます。2004年に完成、翌年世界遺産に登録されました。ただの絶景ではなく、「歴史的絶景」と言ってよいでしょう。

サライェヴォ事件の現場
ラテン橋（旧名プリンチップ橋）

Pick up

サライェヴォ事件

1914年6月26日、オーストリア皇位継承者フランツ＝フェルディナント夫妻がボスニア＝ヘルツェゴヴィナの首都サライェヴォを訪問した際、セルビア系民族主義者がこの夫妻を暗殺。これをきっかけにセルビアとオーストリアが戦争状態となり、セルビアを支持するロシアとオーストリアと三国同盟を組むドイツが参戦することで第一次世界大戦へと発展しました。

Theme

バルカン諸国の戦後

第一次世界大戦に敗れたオーストリア＝ハンガリー帝国は解体し、バルカン半島の南スラヴ人たちは自立し、すでに独立していたセルビア・モンテネグロを合わせて、セルブ＝クロアート＝スロヴェーン王国を建国しました。1929年にはセルビア人とクロアチア人の対立が表面化したこともあり、「ユーゴスラヴィア（南のスラヴ）王国」と改名し、国王による独裁を開始しました。

第二次世界大戦中に一時ナチス＝ドイツに占領されるも、ティトー将軍のもと組織化されたパルチザン闘争で国家は解放され、戦後は王政を廃止。英雄となったティトーの下、ユーゴスラヴィア社会主義連邦共和国が建国されました。しかし、1980年にティトーが亡くなると連邦制が揺らぎだし、ソ連崩壊と時を同じくしてスロヴェニア・クロアチア・マケドニアが分離独立を宣言、それを認めないセルビア・モンテネグロにより新ユーゴ連邦が結成されました。92年からはボスニア内戦（ボスニャック人［イスラーム教徒］とセルビア人とクロアチア人による三つ巴の内戦）が勃発、20世紀末にセルビア内に自治を持つコソヴォ人（アルバニア系イスラーム教徒）が分離独立を掲げて始まった*コソヴォ紛争は、記憶に新しい出来事です。

絶景
案内

ギリシア

Greece

1

パルテノン神殿

Parthenon

古代アテネ人の生活を想起

「気候変動でギリシア古代遺跡の浸食が進む、科学者らが警鐘」。数年前にこんな記事が新聞に掲載されました。1970年代から問題でしたが、大理石が解けて黄ばんでいる状況は悪化しています。

　このパルテノン神殿が立つアクロポリスは神を祀(まつ)る丘であり、その下のアゴラと呼ばれる広場でアテネの人々は交流しました。現存するパルテノン神殿は、前5世紀にペルシア軍の侵攻で破壊された古パルテノンを、*ペルシア戦争の勝利記念として再建したものです。ただ、この時、ペルシアの再来に備えて200近くのポリスが貯蓄した銀をアテネが濫用して建築費用にあてたため、のちにギリシア＝ポリスの内戦（ペロポネソス戦争）の原因になりました。ローマ帝国時代は、キリスト教が広がるまでローマ版のオリンポス12神を信仰していたため神殿は保存されていましたが、ゲルマン人の侵攻で放火されたり、ビザンツ帝国時代にはアテネ女神像が盗まれ

クノッソス宮殿

Pick up

クノッソス宮殿

前20世紀にクレタ島中心に海洋的・平和的なクレタ文明が広がります。迷宮で有名なクノッソス宮殿はこの頃に造営されました。前16世紀頃から半島部を中心に戦闘的で城塞を持つミケーネ文明が広がりました。のちに、ドイツの考古学者・シュリーマンが**ティリンス**や**ミケーネ**など多くの遺跡を発掘しています。

Theme

ミケーネ文明滅亡後のギリシア

前8世紀頃に生まれたポリスのうちの代表的な2つ、イオニア人によるアテネは民主政の道を歩み、ドーリア人によるスパルタは王政による軍事国家を築きます。ギリシア＝ポリス世界は前5世紀のペルシア戦争でペルシア軍侵攻の撃退に成功しましたが、まもなくアテネとスパルタを中心とした2つの同盟による内戦が起こります。これに乗じてギリシア北部にあったマケドニア王国がギリシア連合軍を破り、ギリシア世界を支配しました。

しかし、前2世紀にはマケドニアもギリシアもローマ領となり、ローマの東西分裂後は、東ローマ（ビザンツ）帝国に支配されました。ここではギリシア古典文化は保存・継承され、のちにイタリア・ルネサンス開花の要因になりました。また、東ローマのキリスト教は東方正教会と呼ばれました。ギリシア人宣教師キュリロスがスラヴ人布教のためにグラゴール文字（のちのキリル文字）を考案し、スラヴ語圏のキリスト教化が進み、各地に教会や修道院が造られるようになったのです。

なお、ギリシア人はスラヴ系と思われがちですが、古代に南下してきたギリシア人が直接祖先でありスラヴ系ではありません。しかし、長年スラヴ人が大半を占める東欧世界にあって文化や宗教がスラヴ化しているため、スラヴ社会とされることがあります。

たり、オスマン帝国支配では一部がモスクになったりしました。そして、17世紀末にオスマン帝国が武器庫として使っていたパルテノン神殿にヴェネツィア軍が攻撃を加えたことで爆発し、大きく損傷し現在に至ります。

ギリシア

Greece

2

メテオラ

Meteora

「天空の修道院」、メテオラ

メテオラ修道院は、ギリシア北部の山麓にある、下界から隔絶された奇岩群の頂上に造られた修道院群で、空中に吊り下げられて浮かんでいるように見えます。山麓から見る修道院の風景も、修道院から見る外界の風景も絶景としか言いようがありません。

デコボコした奇岩は俗世とのかかわりを断ち切るには理想的な環境と思われ、この奇岩群の洞窟では9世紀頃から修道士たちが祈りや瞑想のために移り住んでいました。11世紀頃から修道院が造られたと言われていますが、メテオラ集合体として修道院活動が始まったのは、この地域がセルビア王国*の支配下に入った14世紀頃とされています。

14世紀末にオスマン帝国*の支配下に入りますが、修道院には一定の保護と活動が認められたのに加え、15世紀には1つの修道院がメテオラの全修道院を統括するシステムが作られ、いわゆる「大メテオロン」と呼ばれるようになりました。この時代に現在残る

6つの修道院が創立されたと言われています。なお、2つはのちに女子修道院になっています。現在でも、この時代に流行していたイコン（聖画像）が修道院内の壁画として残されています。

ドラクロワの肖像写真

Pick up

ギリシア独立戦争

この戦争の様子を描いたドラクロワの作品『キオス島の虐殺』は現在ルーヴル美術館に保管されています。また、アレクサンドロス大王・ムハンマド＝アリー・ケマル＝パシャなどの歴史上の有名人はいずれも現在のギリシア北部の街テッサロニキ郊外の出身なのは少々驚きでしょう。

Theme

オスマン帝国の支配

ギリシアは14世紀後半にバルカン半島に進出してきたオスマン帝国の支配下に入ります。周辺の島々も15世紀にはオスマン帝国領と化しますが、「パクス・オスマニカ（オスマン帝国による平和）」という言葉にあるように、イスラーム教やトルコ語が強制されることはなく、一定の自由は保障されました。また、正教会はスラヴ系の民族以外のトルコ人やアラブ人にも広がり、一方で、正教会のギリシア人らが通訳などの補佐官としてオスマン帝国の中枢の重要な地位を占めていたことが、現在に至るまで東方正教会の力が強く残る背景でもあります。

18世紀後半、オスマン帝国の衰退とともにギリシア人のアイデンティティが高まり、**1821～1829年のギリシア独立戦争では、バルカン半島への南下を企てていたロシア、それを牽制する英仏がギリシア側に支援したことで勝利し、独立を勝ち取りました。**

独立後は立憲王政を維持しましたが、王権は弱体でした。結局、1974年の国民投票により王政が廃止され、共和政となりました。また、ギリシア系政権で独立を果たしたキプロス（島）共和国に対し、トルコ系住民保護を理由にトルコ軍が侵攻（キプロス紛争）したことは、現在に至るまでギリシアとトルコの外交問題として残されています。

イスラエル&ヨルダン

Israel & Jordan

1 オリーブ山

Mount of Olives

2000年の歴史を見下ろす世界史の絶景

三大宗教の聖地イェルサレムの旧市街を東イェルサレムにあるオリーブ山から見下ろした光景。手前に見える城壁は十字軍*時代に造られたものですが、糞門に近いところにある壁は今から約2000年前にユダヤ王ヘロデが築いたもので、現在は「嘆きの壁」としてユダヤ人の聖地となっています。また、黄金の屋根を持つ「岩のドーム」は神殿の丘に建てられていて、預言者ムハンマドが昇天した岩があることから、イスラーム教第3の聖地とされています。

さらに、この2つの聖地のすぐ西に、後1世紀にイエスが十字架刑になったゴルゴタの丘に造営された「聖墳墓教会」があり、キリスト教の聖地となっています。イエスが十字架を背負わされてゴルゴタの丘まで歩いた道は「ビア・ドロローサ（悲しみの道）」と呼ばれ、今はキリスト教徒たちが数名で十字架を担ぎ、聖墳墓教会まで行進する行事がありますが、観光客も同じ道を歩けます。

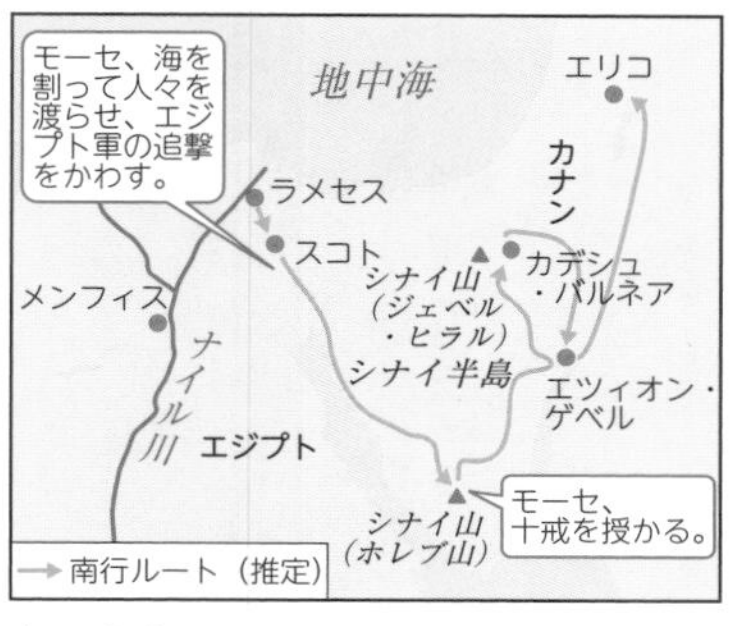

出エジプトのルート

Pick up

イスラエル王国の始まり

前10世紀にエジプトから脱出してきた（出エジプト）ヘブライ人の子孫（のちのユダヤ人）がイスラエル王国を建国したのが始まりです。南北に分裂後、大国の支配を受け、前2世紀にユダヤ人国家であるハスモン朝が成立しました。

Theme

パレスティナをめぐる攻防

ハスモン朝が1世紀にはローマに併合され、2世紀半ばの第二次ユダヤ戦争が鎮圧されると、イスラエルの地は「パレスティナ（ペリシテ人の土地）」と改称され、ユダヤ人はパレスティナから追放されました。

7世紀以降はイスラーム勢力が支配し、7世紀末ウマイヤ朝*時代に「岩のドーム」が造営され、メッカ・メディナに次ぐ第3の聖地になりました。キリスト教徒による十字軍が一時的にこの地を奪ったものの、エジプトのアイユーブ朝*・マムルーク朝*で完全にイスラーム支配に戻され、16世紀初めにオスマン帝国*の支配下に入りました。

19世紀末にシオニズム運動（ユダヤ人による祖国建設運動）が始まります。第一次世界大戦中のイギリスとの密約（バルフォア宣言*）は反故にされたものの、パレスティナはイギリスの委任統治下となり、1947年のパレスティナ分割案でユダヤ人国家とアラブ人（のちにパレスティナ人と呼ぶ）国家に分割されました。翌年ユダヤ人はイスラエル国の建国を宣言しますが、アラブ諸国はこれに納得せず、中東戦争へ発展、のちにイスラエルが占領した大半の土地は、中東和平で返還されましたが、いまだ、パレスティナ人との間には友好な関係は構築できていません。

旧市街の城壁の外には、「ダヴィデ廟」「最後の晩餐の部屋」「オスカー・シンドラーの墓」「ゲッセマネ」「ダヴィデの街」など世界史に関係する史跡がたくさんあり、絶景だけではなく深い世界史を感じることもできます。

イスラエル&ヨルダン

Israel & Jordan

2

エル・ハズネ（ペトラ遺跡）

The Treasury

スケールの大きさを感じる遺跡

ペトラは、ヨルダン南部、死海とアカバ湾の間の渓谷に造営された古代隊商都市。

今から3000年ほど前に街が造られたとされていますが、アラビア半島付近の貿易を独占し、繁栄し始めたのは、この地域がナバテア王国の中心都市となってからです。**歴史的にはユダヤ人との関係が深く、ローマ帝国とは対立関係にあったとされています。**

遺跡の中心部へ向かう峡谷（シーク）は深い崖の隙間の細道で1・5㎞ほどあり、その終点にはエル・ハズネ（宝物殿）、さらに数㎞奥にはエド・ディル（修道院）があり、すべて岩窟で造られていて、どこを見ても圧巻で絶景であることは間違いありません。

2世紀にローマの属州になった後はローマ風の建造物が建てられましたが、ローマによる海上交易の繁栄で衰退していきました。

なお、2007年に発表された「新・世界七不思議」の1つに選出されています。ペトラと同じように、シルク＝

ロードを代表する隊商都市として、シリア「パルミラ遺跡」やレバノン「バールベック遺跡」などがあります。パルミラ遺跡に落ちる夕日も絶景ですが、シリア内戦によって、一部は破壊され、元の姿を知ることは難しい状態です。

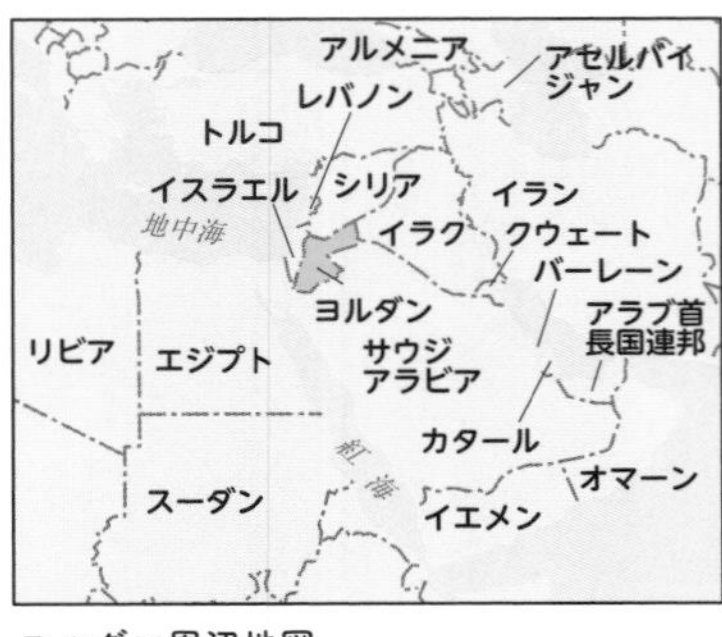

ヨルダン周辺地図

Pick up

ヨルダンと周辺の情勢

中東和平の流れで、1994年イスラエルと和解し、現在では陸路で国境を越えることができます。ただ、王室が近代化に踏み切ると、原理主義者や保守派が反発、シリアからの難民問題も抱え、不安定な政治情勢にあります。周囲の紛争当事国・地域との関係も含め、ヨルダンは、中東の和平と安定において重要な国です。

Theme

中東の和平

ペトラ遺跡を残したナバテア王国時代に発展しましたが、2世紀にローマ帝国に併合されました。7世紀にはイスラーム勢力の支配となり、アラブ化・イスラーム化が進みましたが、イスラーム世界の中心がシリアのダマスクスやイラクのバグダードからエジプトのカイロへと移動すると、ヨルダン周辺はエジプト王朝支配下の辺境地域となり、しだいに衰退してしまいました。

16世紀初めにはオスマン帝国の支配下に入りますが、19世紀頃にロシア帝国の侵略でオスマン領内に亡命してきたチェルケス人を現在のシリア・ヨルダンに移住させたことから、人口は増加し、経済活動が復活していきました。

第一次世界大戦中、イギリスとの密約によりアラブ人ハーシム家（預言者ムハンマド直系）によるアラブ人暴動が起こり、その後、イギリス委任統治を経て、そのハーシム家のアブドゥッラーを国王としたトランスヨルダン王国が成立します。第二次世界大戦後、完全独立し、現在の「ヨルダン・ハシミテ王国」と改名しました。

1948年から隣国のユダヤ人国家イスラエルとの中東戦争を繰り広げ、1967年の第三次中東戦争では東イェルサレムとヨルダン川西岸地域を奪われ、大量のパレスティナ難民を抱えました。

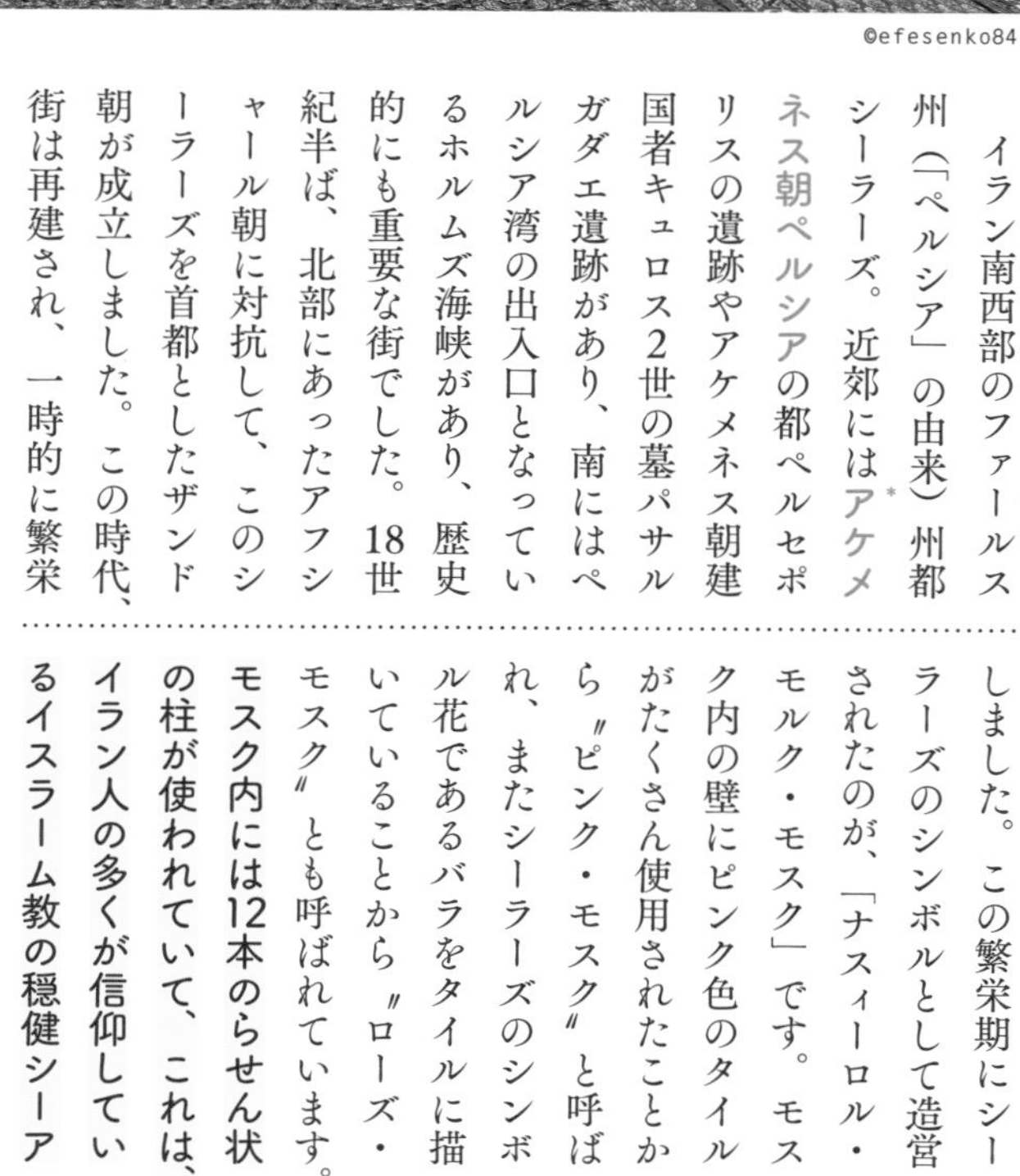

©efesenko84/123RF.COM

絶景案内

イラン

Iran

1

ナスィーロル・モルク・モスク（ピンク・モスク）

Nasir-ol-Molk Mosque

ピンクの絶景、ローズ・モスク

イラン南西部のファールス州（「ペルシア」の由来）州都シーラーズ。近郊には*アケメネス朝ペルシアの都ペルセポリスの遺跡やアケメネス朝建国者キュロス2世の墓パサルガダエ遺跡があり、南にはペルシア湾の出入口となっているホルムズ海峡があり、歴史的にも重要な街でした。18世紀半ば、北部にあったアフシャール朝に対抗して、このシーラーズを首都としたザンド朝が成立しました。この時代、街は再建され、一時的に繁栄しました。この繁栄期にシーラーズのシンボルとして造営されたのが、「ナスィーロル・モルク・モスク」です。モスク内の壁にピンク色のタイルがたくさん使用されたことから〝ピンク・モスク〟と呼ばれ、またシーラーズのシンボル花であるバラをタイルに描いていることから〝ローズ・モスク〟とも呼ばれています。モスク内には12本のらせん状の柱が使われていて、これは、イラン人の多くが信仰しているイスラーム教の穏健シーア

アケメネス朝の中央集権的統治体制

統治システム	都市と駅伝制	他民族政策	統一政策
①全国の州にサトラップを派遣 ②監察官にサトラップを監督させる	③スサ=行政の中心、ペルセポリス=新年の儀式の都、エクバタナ=夏の王宮、サルデス=冬の王宮 ④スサとサルデスを結ぶ「王の道」を建設し、駅伝制を整備	⑤寛容な政策(固有の言語、宗教、伝統、慣習の容認) ⑥フェニキア人、アラム人の商業活動を保護	⑦公用語をアラム語に定める ⑧貨幣の鋳造と統一

Pick up

古代のイラン

メソポタミア文明と隣接したエラム文明から始まります。前7世紀以降、インド・ヨーロッパ語系のメディア王国・アケメネス朝ペルシアが誕生。全盛期のダレイオス1世の代にエジプトまで支配する大帝国になりますが、前330年アレクサンドロス大王の東方遠征で滅ぼされ、しばらくはギリシア人の支配に入りました。

Theme

支配民族の文化との融合

前3世紀にイラン系のパルティア王国*が自立し、メソポタミア地方まで領土を広げ、のちにはローマと対峙するまで大きくなりました。そして、3世紀初め、首都をクテシフォンとするササン朝ペルシア*が成立し、ゾロアスター教*を国教としました。3世紀にはローマ軍人皇帝を捕虜とし、7世紀には**東ローマ帝国からエジプト・シリア地方を奪い、最大版図を築くなど、古代イランの最盛期とされました。**その後、アラビア半島から起こったアラブ人イスラーム勢力により滅ぼされ、10世紀までの約300年間はアラブ人の支配を受けることになってしまいました。

10世紀にイラク・イラン地方に自立したイラン系のブワイフ朝は一時バグダードを占領しますが、中央アジアから侵攻してきたトルコ系のセルジューク朝*に滅ぼされ、しばらくトルコ人支配が続きます。そして、イラク・イラン地方にはイル＝ハン国というモンゴル系の国ができますが、のちにイスラーム化します。このような13世紀のモンゴル人による支配、14世紀からのトルコ系のティムール帝国*の支配など、**イランは他民族の支配を受け続けましたが、イラン文化はその支配民族の文化と融合しながら発展していきました。**

派（十二イマーム派）が崇める12人のイマーム（シーア派首長）を表しているとされています。ただ、正直肉眼で見るよりもレンズを通した方が光の反射の関係で美しく見えたのは私だけではないかもしれません。

イラン

Iran

2

イマーム・モスクとイマーム広場

Masjed-e Emam, Meydan-e Emam

イスファハーンは世界の半分

16世紀末、アッバース1世時代にサファヴィー朝の首都として建設されたイスファハーンは、**中国やヨーロッパとの文化交流で大繁栄を遂げ、「イスファハーンは世界の半分である」と称されました。**街の中心にある「イマーム広場」は、青を基調とした精密なアラベスク文様の彩色タイルに覆われたモスクやファサード（門）、アーリー・カープー宮殿に囲まれ、中央の池の水面に映るモスクの姿は1度見たら忘れられません。

広場のメイン「イマーム・モスク（王のモスク）」は長方形の広場の南回廊に対して平行には建てられておらず、入口からモスクへ向かう方向がメッカの礼拝方角を向くように造られました。また、東回廊に面して建てられたシェイフ・ロトフォッラー・モスクは、小さいながら、当時の王室専用の礼拝堂でした。ドームや壁を覆う彩色タイルのアラベスクは最も美しく、窓から入る光によって床に映る模様がえもいわれぬ神秘さを感じます。1979年の革命で原理主義化したことで、近代的な発展を遂げていた首都テヘランや南部シーラーズより宗教都市イスファハーンの整備に力が注がれ、現在は一大観光地へと発展しています。

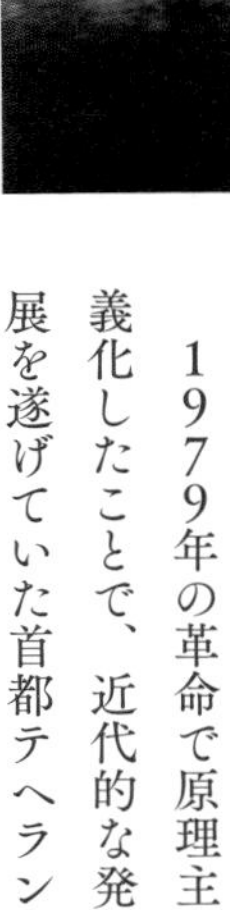

アッバース1世の廷臣

Pick up

アッバース1世

ティムール帝国の衰退に乗じて自立したイラン系サファヴィー朝は、16世紀末に登場したアッバース1世により王権強化や中央集権体制が採用される一方、建国以来国教とした穏健シーア派（十二イマーム派）として、隣国のスンナ派国家オスマン帝国との領土争いを繰り広げました。

Theme

ペルシアからイランへ

サファヴィー朝はアッバース1世の死後まもなく衰退し、18世紀初めには、〝ペルシアのナポレオン〟〝第2のアレクサンドロス〟の異名を持つナーディル＝シャーが建国したアフシャール朝とのちに南部に成立したザンド朝により南北に分立しました。

18世紀末、トルコ系のカージャール朝がイランを統一します。しかし、まもなく南下してきたロシアにコーカサス地方の一部を割譲、その後ロシアの南下を牽制するイギリスが介入し、とうとう1907年には英露協商で南北に分割されました。第一次世界大戦では中立を保ったものの、対ソ干渉戦争に巻き込まれ国土は荒廃。その後、軍事クーデタが起き、1925年にパフレヴィー朝が建国されます。

建国者レザー＝ハーンは伝統的なイラン人王の称号〝シャー〟を使用、**イラン民族主義を提唱して政教分離を採用、国号を〝ペルシア〟から〝イラン〟へ変更しました。**第二次世界大戦後、首相モサデグによる石油国有化宣言でイギリスと対立、その後、アメリカ支援の下、国王パフレヴィー2世による西洋近代化（白色革命）が行われました。しかし、**この改革は貧富の差を拡大させ、1979年のイラン革命へ繋がりました。そして、シーア派最高指導者ホメイニ師を中心とする宗教国家へと生まれ変わり今に至ります。**

ペルー&ボリビア

Peru & Bolivia

マチュ・ピチュ遺跡

Machu Picchu

インカ帝国の失われた都市

言わずと知れた15世紀のインカ帝国の遺跡。日本人が死ぬまでに1度は訪れたい世界遺産ベスト3に必ず入る建造物です。インカ帝国の首都クスコ（海抜3400m）の近郊から列車にてウルバンバ川沿いをアマゾン方面に下ること約3時間でマチュ・ピチュ村に到着します。マチュ・ピチュ村（アグアス＝カリエンテス）からシャトルバスで約400m上り、さらに遺跡の入口から15分ほど見晴らし台まで登らないと全貌が見えないため「空中都市」と呼ばれます。また1911年に発見されるまでジャングルに隠れていたことから「失われた都市」の異名もつきました。

インカ帝国9代皇帝パチャクティが造営した夏の離宮とされていますが、**もともとアンデス文明は無文字文化であったことから、この遺跡の持つ本当の役割や歴史的意義はわかりません。**さらに、日本からは24時間以上かけないとたどり着けないため、その神秘さが増すのでしょう。

見晴らし台からの眺めはもちろん、向かいのワイナ・ピチュ山の頂上や、背にあるマチュ・ピチュ山の頂上からの姿はいずれも絶景です。写真や動画ではない、360度見渡せる肉眼でこそ、本当の絶景を見ることができるでしょう。

Pick up

アンデス文明の中心・ペルー

前1000年頃にペルー北部でチャビン文化、ペルー北部沿岸では、プレ・インカ時代（紀元前後〜14世紀頃）には注口土器で有名なモチェ文化、黄金文化で有名なシカン文化、チャンチャン遺跡で有名なチムー文化（王国）が栄えました。ペルー南部沿岸には、「地上絵」で有名なナスカ文化が繁栄しました。

ナスカの地上絵

Theme

インカ帝国から植民地へ

13世紀頃からケチュア族がクスコ王国を建国して山岳地帯に勢力を拡大させ、1438年に即位した9代皇帝パチャクティの時に、北はエクアドルから南はチリまでを軍事統一し、タワンティンスウユ（4つの国の連邦）＝インカ帝国が成立しました。しかし、大航海時代を迎えた16世紀にスペインの軍人ピサロによって滅ぼされてしまいました。

スペインの南米植民地にはペルー副王領が設置され、行政の中心はクスコから新都市リマに移されました。ここでは、インディオ共同体への賦役・貢納を要請、またカトリックの布教活動も行われました。その後、本土から派遣された官僚（ペニンスラール）が政治の実権を握ると、白人地主（クリオーリョ）からインディオまで多くの植民地人が不満を持つようになったのです。1780年にはインカ皇帝の子孫を名乗る人物が反乱を起こすも失敗しますが、*ナポレオン戦争やスペイン本国での立憲革命の混乱に乗じて各地で独立運動が始まりました。1821年、アルゼンチン・チリを解放した将軍サン＝マルティンはペルーに入り、独立宣言をしますが、内紛で行き詰まってしまったため、北からベネズエラ・コロンビアなどを解放してきたシモン＝ボリバルに解放戦争が引き継がれ、3年後、完全独立に成功しました。

ペルー＆ボリビア

Peru & Bolivia

2

ポトシ銀山（セロ・リコ：富める山）

Potosí Silver Mine

「負の世界遺産」を臨む

ポトシは、現在のボリビア南部、憲法上の首都スクレから車で3時間ほどのところにある街です。繁栄の名残を感じる古い街並みや銀山を望むことができるサン・ロレンツォ教会が残っています。

1545年、スペインの植民地下で発見されたこの銀山は、中南米の三大鉱山*の1つとされています。ここで産出された銀はヨーロッパに運ばれ、スペイン絶対王政の財源になったほか、銀の道でメキシコに運ばれ、メキシコ銀とともにマニラに運ばれ、中国物産と交換され、中国経済に大きな影響を与えました。

植民者が先住民（インディオ）を採掘労働者として、多くは強制労働をさせていました。カリブ海やブラジルと違い黒人奴隷があまり運ばれてこなかったこともあり、アンデス地方の各地から多くのインディオが集められ、疫病流行下でも厳しい労働を強いられ続けます。19世紀初めには銀は枯渇、代わって採掘された錫もまもなく枯渇し、現在

では観光地化されています。このような歴史もあり「負の世界遺産」とも見なされているので、「負の絶景」と名付けてもよいでしょう。

ポトシから車で3時間行くと「鏡張りの塩湖」として有名なウユニ塩湖があります。

太陽の門

Pick up

ティワナク遺跡

紀元前後のプレ・インカ時代に、チチカカ湖東岸にティワナク文化が出現します。**ポンセの石像**や**太陽の門**などティワナク遺跡にある遺物に類似したものが周辺の文化、さらにはインカ帝国に存在していることから、この文化が与えた影響力がわかります。最終的にボリビアはインカ帝国に支配され、高度な都市文明を伝えていきました。

Theme

ボリビア独立への道のり

インカ帝国*の滅亡後はペルー副王領の管理下に置かれましたが、北部のペルーとは一線を画し、「アルト・ペルー」と呼ばれるようになりました。1545年には南部にポトシ銀山が発見され、ボリビアにはポトシ銀山からペルーとメキシコを結ぶ「銀の道」が整備され、ポトシを中心に人口が増加していきました。1781年にはチチカカ湖周辺に住むアイマラ族の指導者トゥパク＝カタリが反乱を起こしますが鎮圧されてしまいました。

19世紀に入ると、中南米におけるスペイン・ポルトガルからの独立戦争が各地で起こりました。**ボリビアでは、ペルーの独立に貢献したシモン＝ボリバルの副官であったスクレがスペイン軍を撃破し、1825年にアルト・ペルーの独立を宣言し、新国家ボリビア共和国を建国させました。**「ボリビア」という国名は、シモン＝ボリバルの名からとられています。建国後まもなく、チリ・アルゼンチンに対抗するためペルー・ボリビア連合を樹立したが、3年後に瓦解してしまいました。その後、19世紀半ば頃に、南西部のアカタマ砂漠一帯の地下資源をめぐってチリとの間で領土問題が起き、これが〝太平洋戦争〟となりました。結局、ボリビアは敗れ、現在では完全に海への出口を失い内陸国になってしまいました。

絶景案内

メキシコ

Mexico

1

トゥルム遺跡（マヤ文明）

Tulum

マヤ文明の終焉を感じる、過去への入口

カリブ海に突き出るユカタン半島の先端部にあるメキシコ最大のリゾート地・カンクン。ここから南へ約130km行った海食崖の上にマヤ文明*特有の建築様式を持つ遺跡を目にすることができます。何千年も変わらない真っ青なカリブ海に、古びて崩れかけた神殿跡や宮殿跡は現代と過去を結びつける出入口であるかのようにも思えてきます。

トゥルム遺跡は13〜15世紀に繁栄したマヤ文明末期の城壁都市遺跡で、近くにあるマヤ内陸都市のための貿易港でした。中米産の黒曜石や塩・織物とメキシコの陶器や銅製品などが取引されました。アステカ帝国*やマヤ文明の都市がスペイン軍に占領された後も使われましたが、疫病の流行で廃墟になったと言われています。そのため、大きな破壊は免れ、美しい姿を現在でも残しているのです。近くにある、都市に飲み水を供給していた天然井戸「グランセノーテ」の美しさは絶景としてよく写真集にも取り上げられ

ています。メキシコにおいてテオティワカン遺跡とチチェン・イツァー遺跡に次ぎ3番目に訪問客が多い人気の遺跡です。遺跡の中にビーチがあって泳げることも欧米人に人気のある理由でしょう。

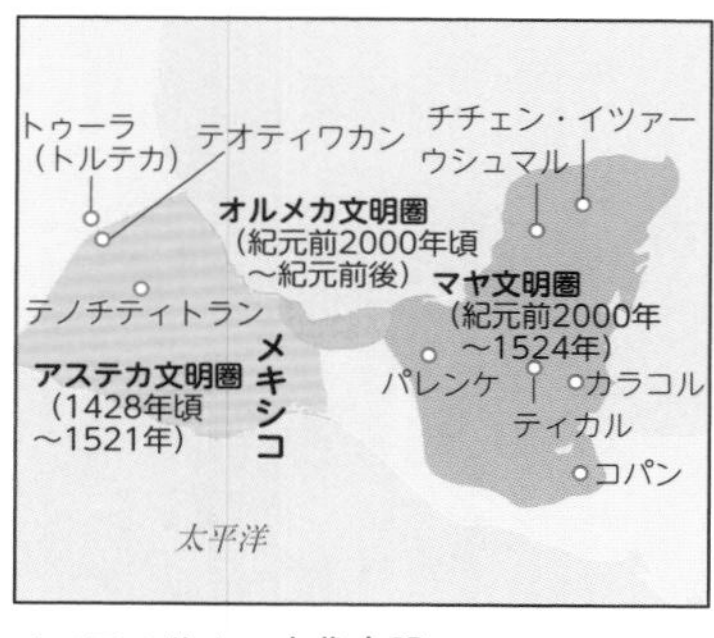

メソアメリカの古代文明

Pick up

メソアメリカ文明の中心・メキシコ

メキシコ湾岸を中心に起こったオルメカ文明（巨石人頭像）に始まり、紀元前後から中央高原で繁栄したテオティワカン文明（太陽のピラミッド・月のピラミッド）、ユカタン半島を中心に広がったマヤ文明（ピラミッド状神殿）、15〜16世紀にメキシコ高原から太平洋岸まで支配したアステカ王国が有名です。

Theme

アステカ王国から植民地へ

このアステカ王国を建設したアステカ人の自称「メシーカ」がメキシコの名前の由来になっています。また、首都テノチティトランは、テスココ湖上の島に建設された都市で、湖で広大な盛土畑が造営されていました。スペインに征服された後は、この湖は埋め立てられ、現在はメキシコシティとなり、一部が中央広場「ソカロ」やそこに隣接する場所に大聖堂・国立宮殿が建てられていて、遺跡の一部は「テンプロ・マヨール」という博物館で見ることができます。

1521年にアステカ王国はスペイン人エルナン・コルテスによって滅ぼされ、ヌエバ・エスパーニャ副王領の中心地となり、スペイン植民地が再編されました。**16世紀半ばには、グアナファトやサカテカスで銀山が発見されたことで、この地は世界の注目を集めることになりました。**しかし、18世紀に行われたブルボン改革（スペイン王室による植民地支配強化）において、教会やギルド*の権限が奪われ、本国から派遣された役人（ペニンスラール）が実権を握るようになると、既得権益を奪われた植民地生まれの白人（クリオーリョ）や経済発展の恩恵を受けないメスチソやインディオ・黒人らの不満が高まることとなったのです。

メキシコ

Mexico

2

グアナファト

Guanajuato

美しい街に、歴史の面影

グアテマラのアンティグアやニカラグアのレオン、コロンビアのカルタヘナなどが「コロニアル風のカラフルで可愛い街」と紹介されますが、視野の360度に彩色な壁を持つ様々な建造物が目に飛び込んでくる街はここが一番だと思います。**カラフルな街並みを見下ろすことができるピピラの丘があり、おしゃれな小道（口づけの小径：メキシコ版「ロミオとジュリエット」の舞台）があり、今を感じる市場もあり、外観はカラフルながら内装は荘厳さを感じる教会があり、自然を楽しむ湖と森林もあるのがグアナファトの魅力です。**

16世紀に征服したスペイン人が金鉱床を発見したことで多くの白人が移り住み、**メスチソ**（白人と先住民の混血）や先住民の商人・労働者が住むようになり、ヌエバ・エスパーニャ（スペインの北米副王領）が完成しました。世界有数の「銀採掘センター」となり、18世紀には中南米で最も美しいと言われるバロック

様式の教会が建設された他、街の中心には、中南米で最も古く、イエズス会[*]による初めての学校・グアナファト大学が創設されました。19世紀の独立戦争で蜂起を指導した1人として名を残す鉱夫ピピラはこの街の出身です。

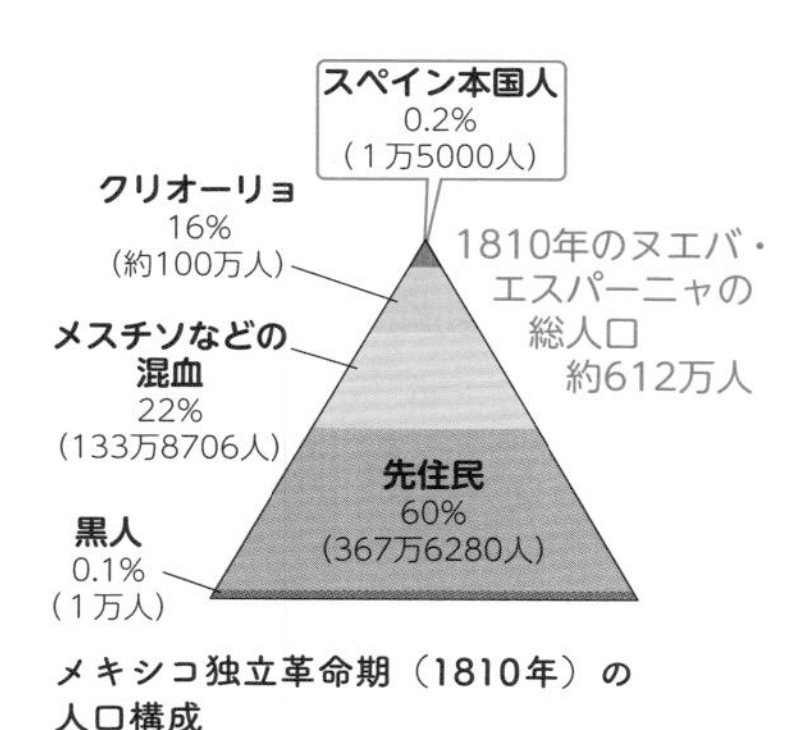

メキシコ独立革命期（1810年）の人口構成

Pick up

スペイン統治下のメキシコ

アメリカ独立戦争などに影響されたクリオーリョの間に独立の気運が高まった19世紀初め、イダルゴ司祭がスペイン打倒の「ドローレスの叫び」を発表して**メキシコ独立革命**が始まりました。そして1821年（アステカ王国滅亡300周年）に独立します。しかし独立後、地方有力者（カウディーリョ）が独裁政治も敷いています。

Theme

メキシコ独立後の歩み

メキシコ独立革命後、1848年にはアメリカに敗れて多くの領土を失ったことで、自由主義者ファレスを中心に自由主義的改革（レフォルマ）が行われますが、保守派の反発もあり、内戦となってしまいました。

そうした中、フランスのナポレオン3世によるメキシコ出兵が行われ、一時ハプスブルク家のマクシミリアンが皇帝が即位しますが、アメリカの支援を得たファレスの巻き返しで、フランス軍は追放され、マクシミリアンは処刑されてしまいました。**19世紀後半からは再び軍人ディアスによる独裁になりますが、外国資本の導入で近代化する一方で貧富の差が拡大し、これが1910年からのメキシコ革命勃発に繋がったのです。**

軍人・自由主義者・貧農の内戦に様相が展開され、最終的に民主化は成功したものの、貧農のリーダーであったサパタは暗殺され、土地改革は先送りになってしまいました。そして、**1930年代に世界恐慌が起こると、カルデナス大統領が就任、農地改革や労働者保護、軍制改革を行う一方で、アメリカ貸本の鉄道や石油の国有化を断行、国内経済の確立に努めました。**のちに彼の政党は制度的革命党と改名され、2000年まで一党独裁体制を続けることになりました。

アウシュヴィッツ＝ビルケナウ強制収容所。ホロコーストと強制労働により最大級の犠牲者を出した歴史の悲劇を目に焼き付けたい。

第3部

知的好奇心をくすぐるワンランク上の旅

Hong Kong
香港

Hawaii
ハワイ諸島

Austria
オーストリア

Taiwan
台湾

Thailand
タイ

Vietnam
ベトナム

Morocco
モロッコ

The Three Major Buddhist Monuments in Southeast Asia
東南アジア三大仏教遺跡
（インドネシア＆カンボジア＆ミャンマー）

香港

Hong Kong

香港島とその北岸の九龍半島及びランタオ島（香港ディズニーランドや香港国際空港がある）などの周辺の島々を含めて、「香港」と呼ぶ。名前の由来は、香港島の南岸に東南アジアから運ばれてきた香木が浮かべられていたことに由来する。

POINT

- 19世紀に、２つの戦争で香港島・九龍半島南端がイギリスへ永久割譲され、中国分割で香港のその他の地域がイギリスへ租借される。
- 第二次世界大戦後、中国本土からの人口流入で経済発展する（→アジアNIESに）。
- 1997年に中国へ返還されるが、一国二制度制が採用され、資本主義経済は継続したが…。

国際貿易港としての香港

唐の時代に香港の北にある広州が国際貿易港になったこともあり、それを警備するため軍が置かれました（「屯門（とんもん）」）。大航海時代にはポルトガル人が来航、一時香港を占領しますが、時の明王朝はこれを撃退、ポルトガル人は対岸のマカオに拠点を移しました。18世紀初めにはイギリス商館が開設され、インドからのアヘンの輸入と販売をここで管理するようになり、それがのちに**アヘン戦争***（1840〜1842年）のきっかけとなったのです。19世紀はパクス＝ブリタニカの時代と言われ、いち早く産業革命に成功したイギリスが、製品市場を求めて植民地拡大を図っていました。

この時代はイギリス国内も安定し、時の女王の名前から「ヴィクトリア王朝」とも呼ばれるほどの栄華を実現していました。なお、百万ドル夜景をみることができる「ヴィクトリア・ピーク」は彼女の名前から付けられています。

ヴィクトリアピークからの夜景

イギリスとの関係を感じるロケーション

アヘン戦争後の南京条約（1842年）で香港島が、**アロー戦争***の北京条約

ペニンシュラホテル

（1860年）で九龍半島南端（九龍駅やネイサン通りがあるあたり）がイギリスに永久割譲されました。そして、1898年に行われた列強による中国分割では、これまでに割譲された地域以北の九龍半島（「新界」）及びその周辺の島々を99年間の期限をもって租借することとなったのです。ちなみに、中華民国（1912年〜）の時代になり新界への移動が自由となったため、多くの中国人が香港（新界）に住むようになりました。現在はたくさんのアパート群があります。そして、**1941年12月8日、日本は真珠湾攻撃と同日、香港への侵攻を開始し、香港全土を制圧、日本の軍司令部が置かれたイギリス資本のペニンシュラ・ホテルにてイギリスは降伏調印しています。**

経済発展する香港の今

日本の敗戦後に起きた内戦の結果、共産党政権が成立すると外国資本家や華人エリート層が香港へと移動し、経済成長を支えることになりました。1960年代から始まった文化大革命でも多くの逃港者（とうこうしゃ）が出て、香港の人口は急増。彼らが安価な労働力となり、輸出製品を製造したことが、**シンガポールや韓国・台湾とともにアジアNIES*と呼ばれる背景**になりました。そして、1884年に英中共同宣言が結ばれ、香港（永久割譲だったはずの香港島や九龍半島南部も含む）全体を1997年7月1日に返還することに両国が合意、返還後は「港人治港」を原則とし、50年間（2047年まで）は今までの資本主義的な政治・社会を継続するという「一国二制度制」が採用されることとなりました。しかし、**2014年には、本土寄りの香港政府に対する大きな民主化デモも起きています（雨傘運動）**。

雨傘運動

ハワイ諸島

Hawaii

日本人に最も人気のある「楽園の島」。19世紀に多くの日本人移民が海を渡った。現在は日系人が14％いる。日本語が通じる場所が多いことも、語学の弱い日本人にとってはまさに「楽園」。その歴史を知れば、楽しみ方も増えるはずだ。

POINT

- ハワイ島は1810年にハワイ王国を統一したカメハメハ大王（1世）の出身で、ハワイ諸島を最初に発見したクック船長が殺害された島。
- オワフ島はイオラニ宮殿（@ホノルル）や太平洋戦争の始まりで有名な真珠湾がある島。
- マウイ島はホノルルに遷都するまでハワイ王国の首都が置かれた港町ラハイナがある島。

ハワイ諸島の統一

3世紀頃に南太平洋からポリネシア人がこの島々にやってきて、12世紀頃には主要8島を各族長が支配しました。1778年に、イギリスの軍人で探検家でもあり、1770年にオーストラリア領有を宣言したことで有名なクック船長（ジェームズ・クック）がハワイ諸島を発見したのち、オワフ島のワイメア・ベイに上陸しました。この時、彼の支持者であり、海軍大臣だったサンドウィッチ伯爵の名から「サンドウィッチ諸島」と名付けています。しかし、クックは翌年ハワイ島で先住民に殺害されてしまいました。

18世紀末にハワイ島の族長であったカメハメハはイギリスと防衛援助協定を結んだ後、マウイ島やオワフ島などに侵攻し、1795年にはハワイ王国*を建国し、1810年にはカウアイ島などを支配下に収めてハワイ諸島を統一しました。

カウアイ島

ハワイ革命からアメリカ併合へ

1820年頃からキリスト教の布教活動が始まるとともに、伝統的な社会構造は破壊され、欧米的な新しい教育・経済・政治が導入されていきました。その後、立憲君主制が成立、欧米人が政治の要職に就く中、多くの土地が外国人の所有地となってしまいました。そして伝染病の流行でたくさんの先住民が亡くなると、日本やフィリピン、そしてアメリカから多くの移民がやってきたのです。当時、王政派と共和派が対立する中、**1893年にアメリカ人入植者ら共和派がアメリカの支援の下、イオラニ宮殿を包囲、王政廃止と共和政の樹立を宣言しました**（**ハワイ革命**）。ハワイ王国最後の王であったリリウオカラニ女王は平和的にこれを受け入れましたが、のちに王政復古の武装蜂起に手を貸した容疑で逮捕・幽閉され、これをもってハワイ王国は完全に滅亡してしまいました。そして、まもなく**1898年にアメリカ合衆国に併合される**ことになったのでした。

イオラニ宮殿

20世紀のハワイ

20世紀に入り、ハワイで過酷な労働をさせられていた多くの日本人労働者は解放され、アメリカ西海岸へと移住しました。**20世紀初めから中国市場などの外交・政治的問題でアメリカと日本の関係が悪化**していくにつれ、ハワイに住む日本人への風当たりは厳しいモノとなっていきました。そうした中、**1941年12月7日**（**現地時間。日本時間では、12月8日**）**の、日本軍による真珠*湾攻撃**（**アジア・太平洋戦争の始まり**）。この時に戦艦アリゾナが沈められたことは有名です。ハワイに住む日本人の幾人かがアメリカ軍人として日本軍と戦った話も有名です。1945年に日本は敗れ、その敗戦協定が調印された戦艦ミズーリは現在記念館としてオワフ島に停泊しています。そして、**1959年に、アメリカの50番目の州となりました**（**ハワイ州**）。

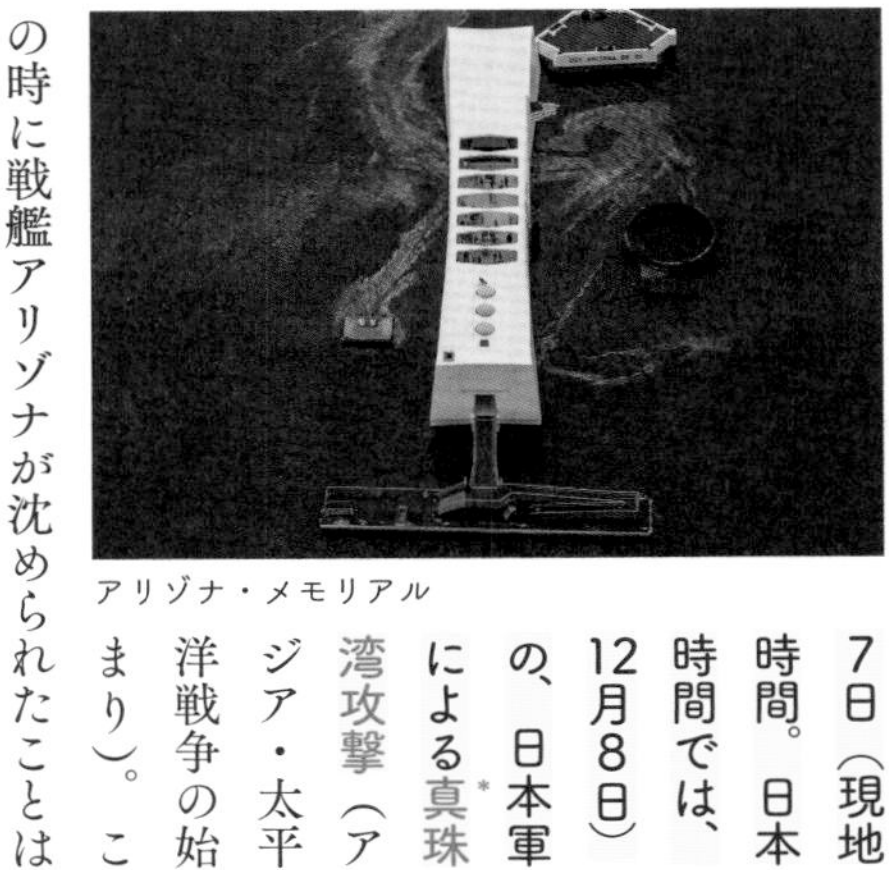
アリゾナ・メモリアル

オーストリア

Austria

ハプスブルク家と芸術の都ウィーンのイメージが強いが、東方からの異民族の侵入を防ぐために置かれたオストマルク辺境伯が起源。現在は、ドイツ人の国でありながらドイツには入らず、永世中立国でありながらEUに加盟する異色の国。

POINT

- 13世紀後半にハンガリー&ボヘミア王との戦闘に勝った神聖ローマ皇帝、ハプスブルク家のルドルフ1世がオーストリアの支配者になる。
- ハプスブルク家は17～19世紀にたび重なる戦争の中でも、華やかな文化を開花させた。
- 第一次世界大戦で敗北して、ハプスブルク家が王家を放棄し、多くの民族が独立した。

ハプスブルク家の台頭

カール大帝が設置したオストマルク辺境伯は、9～10世紀にかけて、スラヴ人やマジャール人の侵入を撃退したものの、この地域を管理する伯家は疲弊・衰退してしまいます。オーストリア辺境伯と改称されて以後はドイツ諸侯による争奪戦となり、13世紀半ばに、スイスを領有していたハプスブルク家が支配下に収めました。この頃、神聖ローマ帝国（現在のドイツ）の首都（ハプスブルク家の本拠地）はプラハからウィーンへと移りました。15世紀半ば以降、オーストリア大公ハプスブルク家は神聖ローマ皇帝を事実上世襲化する一方で、オーストリア・スペインをはじめ、ヨーロッパ各地に家領を持ちました。17世紀に起きた**ドイツ三十年戦争*以降は、ハプスブルク家は自国のオーストリア支配の強化に努め、絶対王政の基礎を築いていきました。**

シュテファン寺院

マリア＝テレジアの登場

17世紀末にハンガリーの大半を支配下に収め、その後、南ネーデルラント（の

シェーンブルン宮殿

ちのベルギー）・ミラノ公国・ナポリ王国も獲得、領土を広げていきました。そして、18世紀半ばに、マリア＝テレジアが登場します。女性相続に異議を唱えた周辺諸侯との戦争になりました。最大のライバルとなったのは時のプロイセン王国のフリードリヒ2世でした。ウィーンにあるシェーンブルン宮殿とポツダムのサンスーシ宮殿の内部を見ると2人のライバル性を比較することができるでしょう。彼女の長男ヨーゼフ2世は西洋近代化を目指し、末娘マリー・アントワネットはのちのフランス王ルイ16世に嫁ぎ、孫のフランツ2世はナポレオンと戦うなど、歴史的に有名な人物がたくさん輩出されました。マリー・アントワネットの幼少期に、ザルツブルク出身のモーツァルトが活躍しています。

19世紀以降の歩み

19世紀前半のヨーロッパの反動的な国際秩序であるウィーン体制*は、ナポレオン戦争後の処理会談がウィーンで行われたことからその名が付いています。さらに、19世紀はドイツ統一が実現した時代でした。結局、プロイセンとの戦争に敗れ、ドイツ統一から排除され、ハンガリーとの同君連合を結成しました。この時の皇帝フランツ＝ヨーゼフ1世の王妃だったのが、有名なエリーザベトです。現在、王宮には彼女の博物館があります。この時期、バルカン半島において、パン＝スラヴ主義*により南下策を進めていたロシアとの対立が表面化し、第一次世界大戦のきっかけになってしまいました。第一次世界大戦で敗戦、第二次世界大戦直前にナチス＝ドイツに併合され、戦後は四か国分割を経て、1955年に永世中立の共和国として独立を承認されました。

ホーフブルク王宮

台湾

Taiwan

この島には今も先住民が住んでいるが、いつも論争になるのは中国人同士の独立する・しないの話。さらに言えば、かつてオランダ人、満州人、日本人が支配した島でもある。観光地はその支配下のモノが多いが、気にかけない観光客も多い…。

POINT

- 17世紀半ば、明王朝再興を狙った鄭成功は台湾からオランダを追放して、そこに拠点を移したが、まもなく清王朝に併合された。
- 19世紀末、日清戦争に勝利した日本は、下関条約で台湾を獲得、台湾総督府を設置した。
- 日本敗戦後、国共内戦に敗れた蒋介石率いる国民党が台湾に中華民国政府を移した。

●オランダによる占領への抵抗

14世紀頃（明王朝）に倭寇（わこう）の拠点となり、大航海時代にはポルトガル人が「美麗島（フォルモサ）」と呼び、台湾の別称になりました。17世紀初めにオランダが領有し、東アジア（主に日本）の貿易や海防の拠点としました。台南にあるゼーランディア城はこの時に造られています。まもなく、明王朝が滅亡すると、その遺臣であった鄭成功（ていせいこう）がオランダを追放して、この島に南明政権を樹立し、本土を支配する満州人の清王朝に対する抵抗運動を行いました。最終的には台湾は併合され、清王朝の直轄地となりました。その後は、対岸の福建省や広東省の漢民族が移住し、この島の開発を行ったのです。現在でも、鄭成功はこの島の開発を促進させた人物として多くの台湾人から「開発始祖」とされ、民族的英雄の扱いをされています。

ゼーランディア城

●日本の植民地時代

アロー戦争*で清朝を破った列強が淡水・台南を開港させたことで、近代化が進みました。そして、日清戦争*に勝利した日本が1895年から植民地化したので

九份

す。日本の支配下では、農業の振興・交通網や水路の整備に加え、義務教育制度を試行され、日本語教育も浸透しました。しかし、反日運動に対しては厳しい弾圧を行っています。日本敗戦後は、蒋介石率いる中華民国の支配になりましたが、1947年に本省人による反対運動が起き、蒋介石はこれを厳しく弾圧し（二・二八事件）、台湾民族意識を潰すための恐怖政治を長年続けることとなりました。

ちなみに、この事件を題材とした『悲情城市』のロケ地として有名になったのが、『千と千尋の神隠し』のモデルとも言われる九份で、日本統治下では金鉱の街として栄えました。

経済的地位の向上と米中対立の火種

国共内戦に敗れた蒋介石率いる国民党は、その拠点を台湾（台北）へ移しました。この際、北京にあった宝物の大半を持ち出し、現在は台北にある国立故宮博物館に納められています。また、台北には中正紀年堂という蒋介石哀悼のための記念館があります。

国際連合の発足後、中国の国連代表権は台湾政府（中華民国）が持ち、1954年に米華相互防衛条約が締結され、冷戦の波にのまれていきます。しかし、**1970年代に米中が接近したことで、国連代表権は本土に移り、外交的には苦難に陥りましたが、一方でNIES（新興工業経済地域群）として経済的地位を高めていきました。**そんな中、蒋介石・蒋経国親子の後継者となったのが本省人出身の李登輝でした。彼は1996年の台湾初の国政選挙で勝利し、その後、**本省人を支持基盤とした民進党が政権を握り、本土からの独立問題が米中対立の火種となっています。**

国立故宮博物館

タイ

Thailand

かつてはバックパッカーの聖地、現在はゆったり老後を過ごす国とも言われるタイ。急激な経済成長の一方で政治・社会不安が蔓延するが、絶大な人気の国王のもと、東南アジア最大の観光国家となった。新国王の不人気さと民主化の波が課題。

POINT

- 13世紀にはスコータイ朝、14世紀にはアユタヤ朝が建国され、上座部仏教が繁栄した。
- 18世紀後半に即位したラーマ5世（チュラロンコン大王）の時に、絶対王政下における西欧近代化政策が進められ、独立は維持された。
- 戦後まもなく即位したラーマ9世はタイ国民に絶大な人気があり、70年間の在位を誇った。

他民族からの支配と独立

現在のタイの国土は、スマトラ島に興ったシュリーヴィジャヤ王国やモン人の連合国家であるドヴァーラヴァティー王国、カンボジアに建国されたクメール人の真臘（アンコール朝）など、様々な国家・民族の支配を受けてきました。そして、ようやく、13世紀にクメール人の支配から自立したタイ人が**スコータイ朝***を建国しました。**全盛期ラームカムヘーン王はタイ文字を考案、上座部仏教を国教にするなど現在のタイ文化の基盤を築いています。**その後、**14世紀にチャオプラヤ川といくつかの支流が合流する要衝に運河を巡らし首都を築いたアユタヤ朝***が成立しました。この王朝はビルマのタウングー朝と抗争を繰り返すとともに、カンボジアに侵攻し、アンコール・ワットを一時的に占領しています。また、ヨーロッパとの交易で繁栄、日本町も栄えました。

ワット・プラ・シー・サンペット

植民地主義全盛の時代

ビルマのコンバウン朝侵攻でアユタヤ朝が滅亡した後、**18世紀末にラーマ1世（チャオプラヤー・チャクリー）が即位し、首都バンコクを建設、現在まで続くラタナコーシン（チャクリー）朝を建国しま**した。この時、ラオスから持ち帰ったエメラルド・ブッダを新たに造営した王宮寺院（ワット・プラケオ）に祀っています。

ワット・プラケオ

19世紀に入ると、西（ビルマ方面）からのイギリスと東（ベトナム方面）からのフランスに圧迫される形になりました。それに対し、1855年にイギリスと不平等条約（バウリング条約）を結んで軍事的支援を獲得したことでフランスを牽制する形の緩衝国となる一方で、**ラーマ5世時代に**チャクリ改革**という西洋近代化政策が行われたことで、東南アジアで唯一植民地化を免れることができました。**

20世紀のタイ

第一次世界大戦では連合国側で参戦、その際、タイは国旗を英仏米の色と同じ、現在の三色旗に変更しています。その後、1932年の革命により立憲君主制になりました。第二次世界大戦では中立宣言したものの、日本の同盟国（天皇とタイ国王との友好もあった）となり、ビルマにのびる泰緬鉄道を建設、日本軍を支援しました。しかし、**戦後は〈タイは日本の占領地だった〉という扱いから敗戦国扱いを免れる一方で、アメリカ主導の反共組織に加盟することになったのです。**1946年にラーマ8世が変死すると弟がラーマ9世として即位しました。彼こそ、軍部と民衆の対立を幾度も平定、国民から絶大な人気を誇り、70年間という在位期間を全うしたプミポン国王（2016年崩御）なのです。

泰緬鉄道

ベトナム

Vietnam

可愛い雑貨や洋服、フォーやバインミーなど日本でもおなじみの美味しい料理、小柄で愛嬌のある笑顔と人懐っこい性格、海や川や渓谷、そしてジャングルまである大自然。そこに、強固な民族主義を誇る歴史がスパイス。

POINT

- 唐の滅亡により、中国王朝の支配から自立し、11世紀に大越国（李朝）が建国された。
- 19世紀に、越南国（阮朝）はカンボジア・ラオスとともにフランスの植民地となった。
- 20世紀半ばから日本、そしてフランスとも戦い、さらにアメリカとも戦って勝利したベトナムは、20世紀末にASEANに加盟し経済成長を続ける。

交易の要地として栄える

紀元前4世紀からベトナム北部に〈青銅の短剣〉〈銅鼓〉などで有名なドンソン文化が繁栄しました。その後、秦滅亡の混乱に乗じて南越が建国されましたが、前漢によって滅ぼされ、ベトナム中部に日南郡や現在のハノイに交趾郡などが置かれます。２世紀には中部にチャンパー（林邑）が自立、南部からカンボジアにかけて扶南が成立し、いずれもローマとの交易の拠点となりました。また、６世紀頃から中部の港町ホイアンもインドと中国の中継貿易で繁栄しています。その後、唐の滅亡によりベトナム人が自立、11世紀初め、都をハノイ（タンロン城）に定めた李朝が建国され、長期的な統一政権（大越国）が始まりました。そして、陳朝ではモンゴルの侵入を撃退、黎朝ではチャンパーを征服して南北を統一しました。

港町ホイアン

フランス領時代の面影

１８０２年に成立した阮朝は大越国から越南国に呼称を変え、清朝の属国を維持しました。しかし、キリスト教迫害を口実にフランスが植民地化に乗り出し、

サイゴン大教会

まずカンボジアを、その後ベトナムを保護国化します。それを認めない清王朝を清仏戦争*で撃破したフランスは、1887年に仏領インドシナ連邦を成立させ、その後ラオスも連邦に組み込みました。20世紀に入ると、知識人によるナショナリズムが高まる中、日本に留学生を送る東遊*（ドンズー）運動が展開されました。また、ロシアでの社会主義革命影響を受けてインドシナ共産党が成立し、反仏運動を開始します。**第二次世界大戦では、フランスに代わり支配者となった日本に対して、ホー＝チ＝ミンによって結成されたベトナム独立同盟会が反日ゲリラを展開していきました。**

● ベトナム民主共和国の建国

1945年の革命で阮朝は滅亡し、ホー＝チ＝ミンを大統領とするベトナム民主共和国が建国されました。それに対し、フランスは植民地復活を画策し、南部にフランスの傀儡国家（ベトナム国）が生まれ、南北に分裂してしまいました。このインドシナ戦争*の結果、**フランスは敗北してベトナムから撤退しましたが、ベトナムが社会主義化することを恐れたアメリカが介入、南北の対立は米ソ冷戦の代理戦争と化した**のです。そして、1965年からは米軍が本格的に軍事介入し、世にいうベトナム戦争に発展しました。

結局、ジャングル（クチ・トンネル）などの地の利を得た北ベトナムと南部の共産ゲリラが勝利し、**南北は統一され、ベトナム社会主義共和国が成立しました。**1986年からはドイモイ（刷新）という資本主義政策が採用されたことで、ベトナムは経済成長を果たしました。

クチ・トンネル

モロッコ

Morocco

絶景ブームで旅好きの注目を集めるモロッコ。サハラ砂漠の夕日とラクダ&朝日と自分、青い街に可愛い植木鉢、迷路のような旧市街やカラフルな屋台が並ぶ広場の眺望などのインスタ映えの歴史的背景もぜひ知っておきたい国でもある。

POINT

- マラケシュは先住民ベルベル人が建国した王朝の首都で、「モロッコ」の由来になった街。
- フェスは歴代王朝の多くが首都にした街で、郊外にはローマ遺跡（@メクネス北部）もある。
- シャウエンはキリスト教徒による迫害を逃れてスペインから移住したユダヤ人によって神聖な青で塗られた建物や壁が人気の街。

カルタゴ、ローマの支配からイスラーム化まで

紀元前9世紀に東地中海沿岸を本拠地としていたフェニキア人が現在のチュニジアにカルタゴ*を建設し、そこを拠点にモロッコ沿岸部にも植民都市を築きました。その後、北アフリカにはマウレタニア王国・ヌミディア王国が栄えます。しかし、前2世紀以降、ローマによる領土拡大によって、それぞれローマの支配下に入りました。7世紀にイスラーム教が成立し、アラブ人率いるイスラーム勢力がエジプト方面から北アフリカへ領土を拡大していきます。やがて、モロッコを征服したイスラーム勢力は、8世紀初めにジブラルタル海峡を越えてイベリア半島に進出しました。この頃、モロッコは**イスラーム化&アラブ化される一方で、先住民は「クサル」という要塞も造り、アラブ人の侵略に対抗しました。**

アイト・ベン・ハドゥの集落（クサル）

キリスト教勢力の侵攻

8世紀、アラブ人によってイドリース朝*が建国され、首都フェスが造営されました。その後、チュニジアから興ったファーティマ朝*に侵略されました。**11世紀に入るとイスラーム化した先住民のベルベル人がムラービト朝*を建国し、新都マラケシュを建設します。**この「マラケシュ」の名は現在の「モロッコ」の由来となっています。その後、ムワッヒド朝*が成立、両王朝ともイベリア半島へ領土を拡大し、キリスト教勢力と戦い、衰退してしまいました。

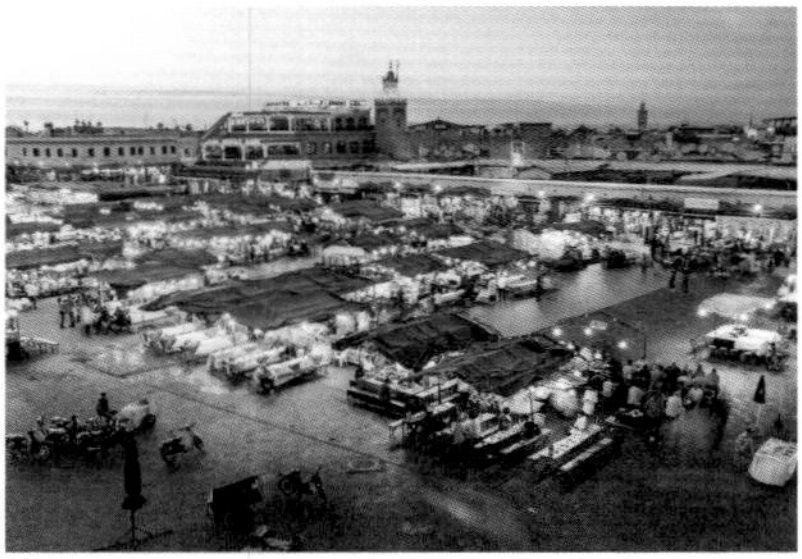
©robson309/123RF.COM
ジャマ・エル・フナ広場（@マラケシュ）

この頃、モロッコに建国されたマリーン朝は、大航海時代の到来でポルトガルに敗れ、衰退してしまいます。さらに、16世紀に成立したサアド朝は強力な軍を持って、西サハラにあったソンガイ王国を滅ぼし、以降モロッコとサハラ地域の文化的交流が始まりました。

フランスの植民地へ

1660年、現在でもモロッコに続くアラウィー朝が成立しました。ヨーロッパ諸国との友好政策をとりましたが、19世紀に入り、フランスによる圧迫や中南米植民地を失ったスペインとの戦争に敗北し、不平等条約を余儀なくされました。そして、1904年の英仏協商で、モロッコにおけるフランスの優越権が認められると、これに反発したドイツがモロッコへ艦隊を進めるモロッコ事件（1905・11年）が起き、最終的に1912年フランスの保護国となりました。

戦後、1956年にフランスからの独立を達成しましたが、セウタはスペインに占領されたまま、南の西サハラの領有権をめぐっては、アルジェリアやモーリタニアなどが絡み合い、現在でも未解決のままなのです。

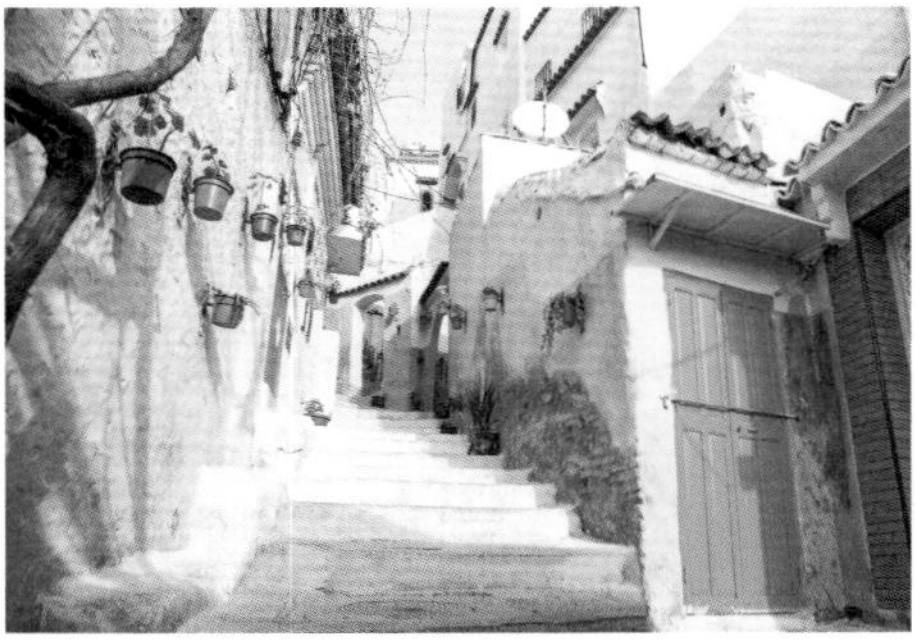
シャウエンの旧市街（メディナ）

The Three Major Buddhist Monuments in Southeast Asia

東南アジア三大仏教遺跡（インドネシア&カンボジア&ミャンマー）

旅の達人である私の名言、「旅の始まりは東南アジアから！」。さらに、旅に歴史のスパイスをとなれば、この3遺跡を訪れる価値は非常に高い。インドネシア・ミャンマー・カンボジアは日本とも関連深い国なのでまずは一歩踏み出してみる！

POINT

- ジャワ島中部にあるボロブドゥール大塔は、8世紀に造営された大乗仏教の遺跡である。
- ミャンマー中部にあるバガン遺跡は、10世紀に造営された上座部仏教の遺跡である。
- カンボジア北西部にあるアンコール・ワットは、12世紀半ばに造営されたヒンドゥー教の遺跡で、現在は上座部仏教の遺跡となっている。

● インドネシア

インドネシアのジャワ島中部の街ジョグジャカルタの郊外にあるボロブドゥール大塔。遺跡周辺は公園化されて、周辺はジャングルに囲まれています。この遺跡から車で45分ほど行ったところには、こちらも世界遺産のプランバナン寺院群があり、ヒンドゥー教遺跡で、カンボジアの「アンコール・ワット」に影響を与えたとされています。

8世紀に成立したシャイレーンドラ朝*は大乗仏教*を奉じ、のちにスマトラ島を中心に大繁栄したシュリーヴィジャヤの王家としても君臨したとされています。この遺跡自体が巨大なストゥーパであり、周辺にも多くの寺院が点在しています。シンガポールを購入したことで有名なイギリス人ラッフルズが19世紀初めにジャングルに埋もれていたこの遺跡を発見しました。

ボロブドゥール大塔

● ミャンマー

ミャンマーを南北に流れるイラワディ川中流域にあるバガン遺跡。約40㎢の遺跡内に3000近いパゴダ（仏塔）があって、朝霧に浮かび上がるパゴダ群は絶

バガン遺跡

景としか言いようがありません。しかし、2019年に世界遺産に登録されてしまったため、パゴダに登って朝焼けの光景を見ることができなくなり、現在は気球での観賞になっています。

11世紀にビルマ人初の統一王朝として建国されたバガン朝は、現在のオールド・バガンに都を置き、上座部仏教*を国教としました。各地から多くの仏僧が訪れたとされています。しかし、過度の寺院への寄進による財政難の中、**モンゴル（元）軍の侵攻で街は破壊され、その後の内紛もあり王朝は滅亡しましたが、仏教研究の中心としては繁栄し続けた**とされています。

● カンボジア

大きな堀に囲まれた「アンコール・ワット」は、バックパッカーの聖地の1つとされたシェムリアップという街の郊外にあります。周辺には、「アンコール・トム」や「タ・プロム」など同じ**アンコール朝***時代に造られた遺跡が点在していて、レンタサイクルなどで回るのも旅好きにはたまりません。「アンコール・ワット」の裏手に昇る朝日を見るため、朝6時にたくさんの観光客が訪れます。

6世紀にクメール人*によって建国された真臘（しんろう）は9世紀初めアンコールに王都を移しました。12世紀半ばに「アンコール・ワット」、末には「アンコール・トム（バイヨン寺院）」が増築され、最盛期を迎えました。日本からの巡礼客が残した落書きも残っています。19世紀のフランス保護国下で調査・研究が行われましたが、1970年代の内戦でかなり損傷してしまい、現在でも修復は続いています。

アンコール・ワット

DOCUMENT

資料編

本文で触れた世界史用語（＊付の言葉）について の解説と補足です。知識を補いながら読むことで、理解を深めることができます。複数回登場する用語は、同じ章では2回目以降を省略し、別の章で再登場する場合は参照先を記しています。

第1部

【スペイン＆ポルトガル】

①**フェニキア人**：ヒッタイトやエジプトが弱体化すると活躍し始めたセム語系民族。

②**カルタゴ**：前9世紀にフェニキア人が建設した植民市。現在のチュニジアあたり。

③**ポエニ戦争**：前264～146年、半島を統一したローマが、西地中海の強国カルタゴを攻めた3回にわたる戦争。第1回はローマが勝利、シチリアを獲得。第2回は名将スキピオがザマの戦いでハンニバルを破ってローマが勝利した。第3回はローマがカルタゴの街を破壊。この戦争によりローマは西地中海の覇権を握るが、帝政に移行する契機ともなった。

④**属州**：イタリア半島以外にあるローマの領土(植民地)。ローマはシチリア島を初の属州として支配した。

⑤**西ゴート王国**：フン人に追われた西ゴート人がイベリア半島に移動して建てた国家。711年ウマイヤ朝に滅ぼされた。

⑥**アタナシウス派**：ニケーア公会議（325年）でキリスト教の正統とされた宗派。後に三位一体説へ結びつく。⇔アリウス派。

⑦**フランク王国**：メロヴィング朝のクローヴィスにより建設された国家。クローヴィスは支配地のローマ人と融和するために、アタナシウス派に改宗した。

⑧**後ウマイヤ朝**：756年、アッバース朝から逃れてイベリア半島に成立した政権。首都はコルドバ。

⑨**国土回復運動**（**レコンキスタ**）：西ゴート王国がウマイヤ朝に滅ぼされた時（711年）を始まりとする、キリスト教徒によるイスラーム勢力からのイベリア半島奪回運動。

⑩**カスティーリャ王国**：イベリア半島北部に10世紀に成立した王国。国土回復運動の中心となった。

⑪**アラゴン王国**：イベリア半島北東部に11世紀に成立した王国。1479年にカスティーリャ王国と結合してスペイン王国になる。

⑫**ポルトガル王国**：12世紀にカスティーリャ王国から自立してできた王国。

⑬**喜望峰**（きぼうほう）：1488年、ポルトガルのバルトロメウ＝ディアスがたどり着いたアフリカの南端。

⑭**フェリペ2世**：「太陽の沈まぬ国」を実現し、スペイン絶対王政の最盛期を築いた王。レパントの海戦でオスマン帝国を破り、さらにポルトガルを併合した。

⑮**カーネーション革命**：ポルトガルの無血クーデタによる民主化革命。経済の立て直しを図り、86年にECに加盟した。

⑯**ナスル朝**：イベリア半島における最後のイスラーム王朝。1492年に首都グラナダが陥落。

⑰**絶対王政**：15世紀末から18世紀にかけて、ヨーロッパで国家が主権国家という体制を取り始めた時代の政治体制。国王

による支配を正当化するイデオロギーとして、王権神授説を唱えた。

⑱**ドン＝キホーテ**：理想の世界実現を夢見る主人公による冒険譚。主人公ドン・キホーテが風車を巨人と思い突撃したというエピソードがある。社会風刺に富み、近代小説の先駆けと言われる作品。

⑲**スペイン＝ブルボン王朝**：ブルボン家によるスペイン統治。1700年にルイ14世の孫・フェリペ5世が即位して始まる。

⑳**スペイン継承戦争**：フェリペ5世の即位に反発したハプスブルク家との戦争。オーストリアがイギリスなどと結び戦う。この戦争と並行してイギリスとフランスはアン女王戦争を繰り広げ、植民地獲得を争っていた。両戦争の講和条約として、ユトレヒト条約が締結。

㉑**フランス革命**：1789年7月14日、フランスで絶対王政への不満を契機に勃発した市民革命。この時代に政治犯を収容していたバスティーユ牢獄を、パリの民衆が襲撃したことから革命は全国へ拡大した。

㉒**ウィーン会議**：ナポレオン戦争後の秩序を回復するための講和会議。オーストリアの外相メッテルニヒを議長とし、フランス外相タレーランが唱えた正統主義を基本原則とした。各国の利害が対立したために、「会議は踊る、されど進まず」と風刺された。この会議で形成されたヨーロッパの秩序を「ウィーン体制」という。

㉓**ブルボン朝**：1589年に始まるフランスの王朝。ルイ14世時代に最盛期を迎え、フランス革命で一度途絶える。1814年ナポレオン失脚で復活し、オルレアン家に王位を譲るまで続いた。

㉔**人民戦線内閣**：1936年、アサーニャが結成した統一戦線内閣。ソ連の支持を受け、反ファシズム勢力が協定を結んだ。

㉕**NATO（北大西洋条約機構）**：1949年に成立した西側の集団安全保障のシステム。本部はベルギーのブリュッセルにある。

㉖**EC（ヨーロッパ共同体）**：1967年、フランス、西ドイツ、イタリア、ベネルクス3国（ベルギー・オランダ・ルクセンブルク）の6国が統合を目指してできた組織。後に拡大し、EUに発展。

【ドイツ】

①**西ローマ帝国**：395年、ローマ帝国が東西に分裂してできた。

②**カール戴冠**：カール大帝が教皇レオ3世によりローマ帝国皇帝の帝冠を戴いた儀式。西ローマ帝国の皇帝の称号が復活した。

③**東フランク王国**：843年、ヴェルダン条約によりフランク王国が分裂して成立した国家。後のドイツにあたる。

④**神聖ローマ帝国**：962年、オットー1世が戴冠して成立したドイツの中世～近世の呼称。1648年ウェストファリア条約によって権力を失い、1806年に消滅した。

⑤**シュタウフェン朝**：12～13世紀の神聖ローマ帝国王朝。フリードリヒ1世、2世の時代に最盛。

⑥**選帝侯**（せんていこう）：カール4世が定めた、神聖ローマ帝国で有力な7つの諸侯。神聖ローマ皇帝の選挙権を持つ。

⑦**ハンザ同盟**：ドイツ商業都市の連合体で、リューベックを盟主とした。商業上の利益を目的とし、結束は必ずしも強くない。

⑧**ハプスブルク家**：オーストリアの名門王家で、神聖ローマ皇帝位を15世紀半ばから事実上世襲化した。（基本は選挙で選ぶ。）

⑨**贖宥状**（**免罪符**）：購入した人が現世の罪を免除される証明書。ルターの宗教改革に繋がった。

⑩**聖書主義**：教会の権威による聖書解釈を批判し、信仰を「聖書」のみに依るものとする考え方。

⑪**ドイツ三十年戦争**：1628〜1648年、神聖ローマ帝国の分裂が決定的となった宗教戦争。旧教徒と新教徒の対立から始まり、のちにヨーロッパの覇権をめぐる大規模な国際戦争となった。

⑫**ウェストファリア条約**：三十年戦争の講和条約。神聖ローマ帝国の分裂を決定的にした。ヨーロッパの主権国家体制の確立に結びつく。

⑬**オーストリア継承戦争**：ハプスブルク家の継承をめぐるオーストリア（マリア＝テレジア）とプロイセン（フリードリヒ2世）の対立。マリア＝テレジアの家督継承にバイエルン選帝侯などが抗議して始まった。

⑭**七年戦争**：オーストリア継承戦争の後、プロイセンに占領されたシュレジエン奪還をオーストリアが目指した戦争。

⑮**ポーランド分割**：ロシア、プロイセン、オーストリアが18世紀末にポーランドを分割、併合した。

⑯**フランクフルト国民議会**：1848年5月から開かれた、ドイツ初めての立憲議会。

⑰**ビスマルク**：オーストリア、フランスとの戦争に勝利してドイツの統一を達成した。

⑱**ヴェルサイユ宮殿**：ルイ14世が命じて建設したバロック様式の宮殿。

⑲**ロカルノ条約**：イギリス、フランス、ドイツ、イタリア、ベルギー、ポーランド、チェコスロヴァキアによる安全保障条約。ドイツが国際社会へ復帰することとなった。

⑳**NATO**（**北大西洋条約機構**）：スペイン&ポルトガルの㉕を参照。

㉑**EC**（**ヨーロッパ共同体**）：スペイン&ポルトガルの㉖を参照。

㉒**EU**（**ヨーロッパ連合**）：1993年、マーストリヒト条約に基づき成立したヨーロッパの地域統合組織。2020年にイギリスが離脱し、加盟国が27か国となる。

【フランス】

①**フランク王国**：スペイン&ポルトガルの⑦を参照。

②**キリスト教アタナシウス派**：スペイン&ポルトガルの⑥を参照

③**カール戴冠**：ドイツの②を参照。

④**カタリ**（**アルビジョワ**）**派**：過激な教会否定派。十字軍により1299年に消滅した。マニ教から派生している。

⑤**カペー朝**：987年のカロリング朝断絶時、ユーグ＝カペーがフランス王に選ばれたことから始まる王朝。フィリップ2世以降、中央集権化が進んだ。

⑥**ヴァロワ朝**：カペー朝の次の王朝。フランス＝ルネサンスが起こる。

⑦**ジャックリーの乱**：1358年、フランスの農村が百年戦争の戦場となり荒廃したことを受け、農民が貴族への反発を強めて勃発した一揆。

⑧**ジャンヌ＝ダルク**：神のお告げによりシャルル7世の軍に助言し、オルレアンの包囲を破ったといわれる。のち、宗教裁判により火刑に処せられた。

⑨**カルヴァン派**：福音主義をとり、禁欲・倹約を重んじた宗派。勤労・蓄財を促す考え方が近代資本主義の発展に繋がったとされる。

⑩**ブルボン朝**：スペイン&ポルトガルの㉓を参照。

⑪**三部会**：聖職者・貴族・平民の代表からなる身分制議会。1302年から始まり、絶対王政期には開かれなくなり、1789年に再召集されたが、これが革命の発端となった。

⑫**フランス革命**：スペイン&ポルトガルの㉑を参照。

⑬**ワーテルローの戦い**：1815年に起こった、ナポレオン軍とイギリス、オランダ、プロイセン連合軍の戦い。

⑭**ウィーン会議**：スペイン&ポルトガルの㉒を参照。

⑮**クリミア戦争**：ロシアとオスマン帝国の対立。ロシアがオスマン帝国内のギリシア正教徒を保護する名目で宣戦布告し、イギリスやフランスなどがオスマン帝国を支援して戦争が拡大した。

⑯**モロッコ事件**：帝国がアフリカ分割を行う過程で起こったフランスとドイツの対立。1905年と1911年に2度発生。

⑰**ヴェルサイユ条約**：第一次世界大戦の講和条約。ドイツにとって厳しい内容でドイツ人の不満が高まり、ナチス独裁の一因となった。

⑱**ロカルノ条約**：ドイツの⑲を参照。

⑲**インドシナ戦争**：1946年、日本の敗戦後に独立を宣言したベトナムが、再植民地化を企図したフランスと戦った戦争。1954年ジュネーヴ会議で休戦協定成立。

⑳**アルジェリア解放戦争**：第二次世界大戦後に独立運動が激化したアルジェリアで、1954年に起こった独立戦争。

㉑**NATO（北大西洋条約機構）**：スペイン&ポルトガルの㉕を参照。

㉒**EC（ヨーロッパ共同体）**：スペイン&ポルトガルの㉖を参照。

㉓**EU（ヨーロッパ連合）**：ドイツの㉒を参照。

【イタリア】

①**元老院**（げんろういん）：古代ローマの最高諮問機関。コンスル（執政官）などの公職経験者から選ばれ、一度選出されると終身議員となった。

②**西ローマ帝国、東ローマ帝国**：ドイツの①を参照。

③**フランク王国**：スペイン&ポルトガルの⑦を参照。

④**神聖ローマ帝国**：ドイツの④を参照。

⑤**両シチリア王国**：ノルマン人ルッジェーロ2世がシチリア島と南イタリアを制圧して建てた王国。イスラーム勢力支配下とビザンツ帝国支配下を含み、異文化が共存した。

⑥**十字軍遠征**：キリスト教徒がイスラーム勢力からイェルサレムを奪回する名目で開始した遠征。1096年の第1回から、7回実施された。

⑦**教皇庁**：ローマ＝カトリック教会の行政機関。

⑧**メディチ家**：15〜18世紀に、銀行家・政治家として台頭し、フィレンツェを支配した大商人の一族。

⑨**ウィーン会議**：スペイン&ポルトガルの㉒を参照。

⑩**千人隊**：シチリア遠征のために組織された義勇軍。

【トルコ】

①**メソポタミア文明**：ティグリス・ユーフラテス川の流域に発展した文明。現在のイラクのあたり。北部がアッシリア、南部がバビロニア。

②**ヒッタイト人**：古代オリエントで勢力を振るったインド＝ヨーロッパ語系民族。鉄器をはじめて本格的に使用した。

③**ハンムラビ法典**：「目には目を、歯に歯

を」の復讐を原則とした法典。ハンムラビ王が制定。身分による差はあるが、民族や宗教による差はない。

④**バビロン第一王朝**：アムル人（セム語系）が建てた王朝。ハンムラビ王の時に全盛。

⑤**海の民**：前13世紀末~12世紀初頭に東地中海を混乱に陥らせた民族集団。ヒッタイトの滅亡、エジプト新王国の衰退を招いた。

⑥**アッシリア帝国**：アッシュール=バニパル王のエジプト征服により、オリエントを統一した。最盛期の都はニネヴェ。前612年に滅亡。

⑦**リディア王国**：アッシリア帝国の滅亡後、小アジアに起こった4国（新バビロニア王国、メディア王国、エジプト王朝、リディア王国）のうちの一つ。

⑧**ペルシア帝国**（**アケメネス朝ペルシア**）：アッシリア帝国に次ぎ、オリエントを統一したイラン人の帝国。ダレイオス1世の時に首都ペルセポリスを建設、前500年の頃には支配していた小アジアのイオニア地方の反乱を契機に、3回にわたってギリシアに軍を送りアテネを中心とするポリス連合軍と戦った（ペルシア戦争）。330年、アレクサンドロス大王によって滅ぼされる。

⑨**エフェソス公会議**：431年、ニケーアの信条を再確認し、三位一体に反するネストリウス派を異端として追放した。

⑩**東ローマ帝国**：ドイツの①を参照

⑪**十字軍**：イタリアの⑥を参照。

⑫**オスマン帝国**：1300年頃からアナトリアを中心に発展したイスラーム帝国。16世紀のスレイマン1世の頃に最盛。第一次世界大戦で敗戦国となり、1922年に滅亡。

⑬**ティムール帝国**：1370年、モンゴル貴族出身のティムールがサマルカンドを都として建てたイスラーム教国家。トルコ語文学や天文学などのトルコ=イスラーム文化が発展した。

⑭**サファヴィー朝**：1501年、神秘主義教団のサファヴィー教団（創設者：イスマーイール）がイスラーム教シーア派を国教として成立した王朝。イラン全域を支配した。

⑮**ウィーン包囲**（**第一次、二次**）：第一次は1529年、オスマン帝国スレイマン1世によるハプスブルク帝国（ウィーン）への攻撃。第二次は1683年に行われ、オスマン帝国が大敗したことにより帝国衰退の一因となった。

⑯**プレヴェザの戦い**：1538年、オスマン帝国がスペインなどの艦隊を破った海戦。

⑰**タンジマート**：1839年にアブデュルメジト1世が開始した改革。1876年ミドハト憲法制定までの37年間とされる。

⑱**ミドハト憲法**：1876年制定の、オスマン帝国最初の近代的憲法。78年に、ロシア=トルコ戦争を理由に停止される。

【エジプト】

①**アレクサンドロス大王**：前336~323年のマケドニア王。東方遠征を行い、アケメネス朝を滅ぼしてギリシア~インダス川に至る大帝国を築いた。

②**プトレマイオス朝**：アレクサンドロス大王の部下・プトレマイオスがエジプトに建てた王朝。都はアレクサンドリア。前30年にローマに滅ぼされる。

③**ヘレニズム文化**：オリエントとギリシアの要素が融合した文化。アレクサンドロスの東方遠征以降に成立した。

④**アイユーブ朝**：シーア派王朝のファーティマ朝を倒してサラディンが建国したス

ンナ派の王朝。都はカイロ。

⑤**マムルーク朝**：アイユーブ朝を倒して建国した王朝。都はカイロ。オスマン帝国に滅ぼされる。

⑥**ダウ船交易**：大きな三角帆を特徴とする木造船により、ムスリム商人が行った交易。

⑦**オスマン帝国**：トルコの⑫を参照。

⑧**ウラービー運動**：専制に対する立憲運動及びイギリスの支配に対する抵抗運動。エジプト民族運動の原点と考えられる。

【中国】

①**黄河文明**：前5000年頃から黄河中下流域で起こった農耕文明。

②**殷王朝**：確認できる中国最古の王朝とされる。黄河中流域の大邑・商が中心となり、王による政治が行われた。

③**諸子百家**：儒家、墨家、農家、道家、陰陽家、法家、名家、縦横家、兵家、小説家の十家、が挙げられる。戦乱の世で、新しい秩序が求められる中で、思想家たちが重宝された。

④**老子**：道家の祖とされるが、伝説が多く実在も疑われる。道家は、「無為自然」による生き方を説いた。道教の源流の1つと考えられる。

⑤**孔子**：儒家の祖とされる。「仁」を唱え、親に対する孝などを重んじた。弟子が言行録を『論語』としてまとめた。

⑥**漢楚の争乱**：劉邦が、垓下の戦いで項羽を追い詰め、自害に追い込んだ。この時の故事が「四面楚歌」。

⑦**儒学**：孔子の教えを奉ずる学問。官学化は、武帝時代の董仲舒の進言による。

⑧**シルク＝ロード**：ユーラシア大陸の東西の交流が行われた交易路。様々な商品、宗教、文化などが互いにもたらされた。

⑨**黄巾の乱**：困窮していた農民たちを張角が束ねて起こした反乱。信奉する神の象徴である黄色の頭巾を身につけたことから、「黄巾」の名が付いた。

⑩**安史の乱**：唐の第6代皇帝・玄宗の時代に起こった反乱。節度使（辺境の指揮官）だった安禄山が玄宗を追い詰め退位させた。玄宗が楊貴妃を寵愛するあまりに乱れた政治に不満が募り起こったとされ、一連の出来事を詩人の白居易は『長恨歌』として綴った。『長恨歌』は、『源氏物語』への影響も大きいと考えられている。

⑪**黄巣の乱**：唐末期の農民反乱。塩の密売商人であった指導者・黄巣の名からこう呼ばれる。

⑫**紅巾の乱**：元末期の農民反乱。宗教結社を中心として起こり、信者たちが紅い頭巾を身につけていたためにこう呼ばれる。

⑬**西太后**：清末期に権力を持った皇后。咸豊帝の側室で、同治帝の母。同治帝の即位後に摂政として実権を握った。

⑭**義和団の乱**：1900年、武術に習熟した宗教結社である義和団が中心に起こした排外運動。「扶清滅洋（清を扶けて洋を滅ぼす）」をスローガンとした。

⑮**辛亥革命**：1911年10月10日の武昌蜂起を発端とする。孫文は、この源流にあった四川暴動をアメリカで知り、帰国して革命を指導した。1911年が干支で辛亥の年にあたるため、こう呼ばれる。

⑯**毛沢東**：中国共産党の指導者。1959年に五か年計画に失敗して失脚するが、66年からの文化大革命を主導して実権を取り戻した。

⑰**文化大革命**：毛沢東が主導した、社会主義的プロレタリア闘争。多数の死者を出した。

【インド】

①**マウリヤ朝**：チャンドラグプタがナンダ朝を倒して建国した、インド初の統一王朝。この時代に交通網が整備され、各地にガンジス川流域の文化が広まった。最盛期を誇ったアショーカ王の死後、複合的な要因により衰退していった。

②**クシャーナ朝**：マウリヤ朝衰退後の分裂期を経て、1世紀にイラン系のクシャーン人がインドの西北に建てた王朝。3世紀、ササン朝に滅ぼされる。

③**グプタ朝**：マウリヤ朝衰退後の分裂期を経て、4世紀に北インドにチャンドラグプタ1世が建てた王朝。遊牧民に侵入され弱体化し、6世紀中頃滅亡。

④**ヴァルダナ朝**：グプタ朝の衰退後、7世紀にハルシャ王が北インドに建てた王朝。

⑤**東インド会社**：1600年、エリザベス1世の承認により設立された貿易会社。イギリスの植民地獲得が進むと現地の支配を目的とする政府的な存在に転化していった。

⑥**インド帝国**：イギリスの植民地としての呼称。イギリスの植民地政策の重要拠点となった。1947年にインド、パキスタンが分離独立するまで続く。

【イギリス】

①**五賢帝**：元老院と良好な関係を築き、政治が安定した時代のローマ皇帝。ネルウァ帝、トラヤヌス帝、ハドリアヌス帝、アントニヌス＝ピウス帝、マルクス＝アウレリウス＝アントニヌス帝。マルクス＝アウレリウス＝アントニヌス帝はストア派哲学者としても有名で、『自省録』を著した。

②**マグナ＝カルタ（大憲章）**：1215年、国王と貴族の関係を定め、諸侯の権利を認めた憲章。イギリスの立憲主義の礎となった。

③**百年戦争**：1339〜1453年、100年以上続いたイギリスとフランスの抗争。ペストの流行や農民反乱で互いに疲弊し、最終的にはフランスが勝利。

④**テューダー朝**：イギリスの絶対王政期の王朝。ヘンリ7世、ヘンリ8世、エドワード6世、メアリ1世、エリザベス1世と続いた。英国国教会が創設された。

⑤**EU（ヨーロッパ連合）**：ドイツの㉒を参照。

第2部

【ベルギー＆オランダ】

①**オランダ独立戦争**：フェリペ2世の圧政（カトリック強制など）に抵抗して勃発した。北部は1609年に独立を果たすが、国際的に承認されたのは48年のウェストファリア条約において。

②**南ネーデルラント継承戦争**：スペイン領だった南ネーデルラントをめぐり、スペイン王の死後に勃発した。后がスペイン王女であったルイ14世が継承権を主張して始まった。

③**七月革命**：ブルボン復古王政（シャルル10世）に対するパリ市民の革命。シャルル10世はイギリスに亡命し、ルイ＝フィリップが即位した（七月王政）。

④**ユトレヒト同盟**：南部10州の戦線離脱に対し、北部が結束を強めるために結んだ。

⑤ウェストファリア条約：ドイツの⑫を参照。

⑥**ナポレオン戦争**：ナポレオンが台頭してから失脚するまでに繰り広げられた一連の戦争。フランス革命の防衛として始まりナポレオンは皇帝となったが、権力獲得後は次第に侵略戦争化していった。

【チェコ】

①**フス戦争**：カトリックの現状を批判したベーメンの神学者・フスの処刑を受けて起こった反乱。フス派とドイツ軍が争い、15年にわたり続いた。

②**（ドイツ）三十年戦争**：ドイツの⑪を参照。

③**神聖ローマ帝国**：ドイツの④を参照。

【ハンガリー】

①**ハンガリー革命**：1848年フランス二月革命の影響下で、ヨーロッパに起こった一連の「諸国民の春」（独立運動）の1つ。ヨーロッパでウィーン体制が崩壊した。

②**東フランク王国**：ドイツの③を参照。

③**フス戦争**：チェコの①を参照。

④**オスマン帝国**：トルコの⑫を参照。

⑤**第二次ウィーン包囲**：トルコの⑮を参照。

⑥**カルロヴィッツ条約**：ウィーン包囲の講和条約で、オーストリア、ポーランド、ヴェネツィアに領土を割譲した。これによりオスマン帝国が弱体化した。

⑦**二月革命**：パリの市民が蜂起して第二共和政を樹立した革命。ルイ＝フィリップが亡命し、七月王政が倒れた。

⑧**プロイセン＝オーストリア戦争**：1866年、ドイツ統一をめぐってプロイセンとオーストリアが争った。プロイセンがドイツ統一の主導権を握る。

【旧ユーゴスラヴィア】

①**ボスニア内戦**：ボスニア・ヘルツェゴヴィナの旧ユーゴスラヴィアからの独立にあたり、領内のムスリム、セルビア人、クロアティア人が激しく対立した。

②**オスマン帝国**：トルコの⑫を参照。

③**コソヴォ紛争**：セルビア軍がコソヴォへ軍事侵攻し、ジェノサイドを行った。

【ギリシア】

①**ペルシア戦争**：トルコの⑧（ペルシア帝国）を参照。

②**セルビア王国**：バルカン半島に入ってきた南スラヴ人が、9世紀以降にビザンツ帝国の支配下に入り、その後12世紀に独立してできた王国。コソヴォの戦いでオスマン帝国の支配下に入る。

③**オスマン帝国**：トルコの⑫を参照。

【イスラエル＆ヨルダン】

①**十字軍**：イタリアの⑥を参照。

②**ウマイヤ朝**：661～750年、西北インド～イベリア半島まで支配したアラブ人のイスラーム教王朝。都はダマスクス。ムハンマドの後継者を意味するカリフを、正統カリフ時代（互選でカリフを選出）に代わり世襲で引き継いだ。アッバース朝に滅ぼされ、イベリア半島に後ウマイヤ朝を建てる。

③**アイユーブ朝**：エジプトの④を参照。

④**マムルーク朝**：エジプトの⑤を参照。

⑤**オスマン帝国**：トルコの⑫を参照。

⑥**バルフォア宣言**：1917年、イギリスへの資本援助の代わりに、戦後のパレスティナでのユダヤ人国家の独立を約束した密約。フサイン・マクマホン協定、サイクス・ピコ協定と矛盾し、現在に至るまでパレスティナ問題をひきずっている。

【イラン】

①**アケメネス朝ペルシア**：トルコの⑧を参照。

②**パルティア王国**：前3世紀～3世紀、セレウコス朝シリアから自立し、イラン・メソポタミア地域を支配したイラン系の王

国。3世紀、ササン朝ペルシアに倒され、滅亡。

③**ササン朝ペルシア**：アケメネス朝の後継を名乗り、パルティアを滅ぼす。諸制度はパルティアから踏襲した。7世紀、イスラーム勢力に滅ぼされる。

④**ゾロアスター教**：アフラ＝マズダを最高神とする一神教。火を崇拝するため、拝火教とも言われる。イランの民族宗教として発展し、イスラーム教が広がったことで衰退した。

⑤**セルジューク朝**：トルコ系の人々がイスラーム教に改宗し、西アジアで立てた政権。12世紀にはルーム＝セルジュークなどの地方政権も立てるが、内紛などにより衰退。

⑥**ティムール帝国**：トルコの⑬を参照。

⑦**サファヴィー朝**：トルコの⑭を参照。

【ペルー＆ボリビア】

①**ナポレオン戦争**：ベルギー＆オランダの⑥を参照。

②**三大鉱山**：メキシコの「グアナフアト歴史地区と鉱山」と「サカテカス歴史地区」、ボリビアの「ポトシ市街」が中南米の三大鉱山とされる。

③**インカ帝国**：コロンビア南部からチリまでの広大な地域を支配し、最盛期は15世紀頃。スペインのコンキスタドール（征服者）・ピサロに滅ぼされた。

【メキシコ】

①**マヤ文明**：ユカタン半島を中心に栄えた文明。16世紀にスペイン人に征服された。

②**アステカ帝国**：メキシコ中央高原に栄えた文明。スペイン人コンキスタドール・コルテスに滅ぼされた。

③**ギルド**：11世紀以降に中世都市で結成された、商工業者の組合。商業利益と相互扶助が目的の商人ギルドと、手工業者たちの同職ギルドがある。

④**イエズス会**：１５３４年に創設されたカトリック修道会。イエズス会の宣教師・フランシスコ＝ザビエルが日本にキリスト教を伝えた（１５４９年）。

第3部

【香港】

①**アヘン戦争**：１８４０～１８４２年、アヘンの密輸入を契機に勃発したイギリスと清の戦争。清にとって不平等な内容の南京条約を結んだ。

②**アロー戦争**：清がイギリス船を海賊として逮捕したことを受け紛争に発展したアロー号事件を機に、イギリスがフランスと連合して起こした戦争。イギリスが南京条約の改定を画策し、北京条約を結ぶことになった。

③**アジアＮＩＥＳ**：１９７０年代以降アジアにおいて経済が急成長した国や地域。韓国、台湾、香港、シンガポールなどを指す。

【ハワイ諸島】

①**ハワイ王国**：カメハメハ朝（18世紀末成立）が、１８１０年にハワイ全島を統一して建てた。

②**真珠湾攻撃**：太平洋戦争へ突入する契機となった日本軍の奇襲攻撃。宣戦布告が攻撃開始後にされたため、「奇襲」と言われ日本は国際社会から非難を受けた。

【オーストリア】

①**ドイツ三十年戦争**：ドイツの⑪を参照。

②**ウィーン体制**：スペイン＆ポルトガルの㉒（ウィーン会議）を参照。

③**パン＝スラヴ主義**：スラヴ人の連帯と統一を目指した思想。１８４８年、プラハでスラヴ民族会議が開かれたのち、盛んになる。ロシアの南下政策の口実となった。

【台湾】

①**アロー戦争**：香港の②を参照。

②**日清戦争**：甲午農民戦争（朝鮮の農民反乱）を機に、日本と清が争った戦争。日本が勝利し、下関条約を結んで帝国主義国家へ進み始めた。

③**本省人**：第二次世界大戦前より台湾に居住している台湾人。第二次世界大戦後に台湾に移住した大陸人は外省人と呼んだ。

【タイ】

①**スコータイ朝**：13世紀に、タイ人が建てた最初の王朝。都をスコータイに置いた。

②**アユタヤ朝**：都をアユタヤに置いて建国した王朝。スコータイ朝を併合し、カンボジアのアンコール朝も支配下に置いた。

【ベトナム】

①**清仏戦争**：ベトナムの宗主権をめぐって争った清とフランスの戦争。イギリスの仲介で天津条約を結び、清がフランスのベトナム保護権を認めた。

②**東遊（ドンズー）運動**：ファン＝ボイ＝チャウが、フランスからの独立への支援を日本に求め、留学生を多数来日させた。犬養毅や大隈重信らと接触し、フランスに対抗するために日本の技術などを学ぶことを決めた。

③**インドシナ戦争**：フランスの⑲を参照。

【モロッコ】

①**カルタゴ**：スペイン&ポルトガルの②を参照。

②**イドリース朝**：第４代正統カリフ（信者の互選により選出）アリーの子孫が、ベルベル人に支持されてモロッコに建てたシーア派の王朝。ファーティマ朝に滅ぼされる。

③**ファーティマ朝**：シーア派のイスマーイール派がチュニジアに建てた王朝。

④**ムラービト朝**：ベルベル人がモロッコを中心に立てた王朝。イベリア半島に進出した。

⑤**ムワッヒド朝**：ムラービト朝を滅ぼしてイベリア半島を支配したベルベル人のイスラーム王朝。国土回復運動（レコンキスタ）の高まりを受けて衰退した。

【東南アジア三大仏教遺跡】

①**シャイレーンドラ朝**：8世紀に成立した後、9世紀にはシュリーヴィジャヤ王国とも関わり、マレー半島で存在感を出した。

②**大乗仏教**：菩薩信仰に基づき広く民衆を救うことを目指して修行する仏教。中央アジアから中国、朝鮮、日本に伝わった。

③**上座部仏教**：自らの解脱を目的に修行する仏教。戒律を厳守する。スリランカ、ビルマ、タイに伝わる。

④**アンコール朝**：アンコール地方に８００年頃から６００年以上続いたクメール人の王朝。

⑤**クメール人**：メコン川流域に栄えた民族。上座部仏教を受容した。

佐藤 幸夫（さとう ゆきお）

栃木県出身。町立南犬飼中学校、県立宇都宮高校、東京学芸大学中等教育社会学科西洋中世史専攻卒。1991年より一貫して代々木ゼミナールにて教壇に立ち続ける。現在はエジプトに在住しており、世界史ツアーを主催しながら、年3回帰国して、大学受験の世界史の映像授業を収録している。世界102か国・300以上の世界遺産を訪れた経験をスパイスに、物語的な熱く楽しく面白い映像講義を展開する。“高校で学んだ世界史をその目で見るからこそ学んだ価値が生まれる”をモットーに、若者たちに狭い日本を飛び出して、世界への見聞を広げて欲しいという思いから、これまで、大学生対象の世界史Studyツアーを58回催行してきた。そして、2018年からは「大人のための旅する世界史」と題して、社会人向けの世界史学び直しツアーを開催。また、オンラインセミナーとして「旅する世界史」講座を実施し、旅×世界史の面白さを広げている。著書に、『大学入試 マンガで世界史が面白いほどわかる本』（KADOKAWA）、『きめる！共通テスト世界史』（Gakken）などがある。

人生を彩る教養が身につく
旅する世界史

2023年3月16日　初版発行
2023年9月25日　3版発行

著　者　佐藤 幸夫
発行者　山下 直久
発　行　株式会社KADOKAWA
〒102-8177　東京都千代田区富士見2-13-3
電話0570-002-301（ナビダイヤル）
印刷所　図書印刷株式会社

ISBN　978-4-04-605822-5　C0022